月刊文庫

特集

帚木蓬生『香子』刊行開始記念！

小説で読み解く紫式部と「源氏物語」

インタビュー

帚木蓬生

なぜこの作品は千年もの間、
読み継がれたのか

ックガイド

大胆な解釈、脇役への着目、作者自身に迫る……

年の時を越えた傑作から生まれた、
たな物語の数々……………………………………末國善己

の天才・紫式部の人物像に迫る／
道長、和泉式部……同時代を生きた人物を主役に／
ジから生まれる斬新な作品

※「闇の絵本」は休載いたします。

月刊文庫 **文蔵** 2024.1・2 目次

表紙デザイン・管野はるな／本文デザイン・小林美代子

「源氏物語」

CONTENTS

帚木蓬生
『香子』刊行開始記念！

小説で読み解く紫式部と

大河ドラマ「光る君へ」が2024年に
放送されるなど、今、改めて注目されている
日本最古の長編小説「源氏物語」。
本特集では帚木蓬生さんの『香子』連続発刊を
記念して、千年の時を経ても尚、色あせない
「源氏物語」の魅力と、その生みの親である
紫式部を取り巻くドラマを描いた
傑作の数々を紹介します。

なぜこの作品は千年もの間、読み継がれたのか

取材・文・撮影＝編集部

Interview

帚木蓬生

PROFILE

Hahakigi Hosei

1947年、福岡県生まれ。東京大学文学部仏文科卒業後、TBSに勤務。その後、九州大学医学部を卒業して精神科医に。93年に『三たびの海峡』で吉川英治文学新人賞を、95年に『閉鎖病棟』で山本周五郎賞を、97年に『逃亡』で柴田錬三郎賞を、2010年に『水神』で新田次郎文学賞を、18年に『守教』で吉川英治文学賞と中山義秀文学賞を受賞。最新作として、紫式部の生涯と『源氏物語』をテーマとした『香子——紫式部物語』（全五巻）が刊行中。

精神科医の傍ら、小説家として医療、ミステリ、歴史時代ものと、さまざまなジャンルの作品を発表されてきた帚木蓬生さん。

その作家人生における〝集大成〟ともいえる大河小説『香子――紫式部物語』（全五巻）を書き上げた帚木さんに、作家・紫式部と、千年もの間、読み継がれてきた『源氏物語』の、すごさと魅力を担当編集者が聞いた。

――ペンネームである「帚木蓬生」は、『源氏物語』の帖の名前からの由来とお聞きしました。なぜ帚木さんが、『源氏物語』にこだわられたのか、教えていただけないでしょうか。

帚木　「こだわり」と言われると、ちょっと言いにくいのですが（笑）。

大学を出てテレビ業界に就職し、一念発起して医療の道へ進もうと考えて、大学で医療を勉強するために今一度、予備校のようなところに通ったんです。

そのとき本名だと、「なんだ、またお前か」などと思われそうで、違う名前にしようと……。

話はさらに遡るのですが、私の高校では、全学年と予備校生がいっしょに受ける実力テストをしていまして、高二の時に国語で一位になったんです。二年生なのに、全校一位ですよ。

なぜかといえば、そのときに読んでいた『源氏物語』のおかげで、「これ、まさに読んでいたところだよ！」

と。

それ以来、『源氏物語』は、私にとって大切な作品になっていきました。本名とは別の名前を作ろうとしたときにも、『源氏物語』が頭にあって、帖名から名前になりそうなものを探し、まずは「帚木」と、そして「蓬生」、これは「ほうせい」と読めば、名前になるじゃないかとなったわけです。

――ということは、ペンネームとして考えられたわけではなく、もともとは偽名だったんですね!?

帚木　じつはそうなんです(笑)。でも、作家にふさわしい名前なんですよ。

「帚木」は、遠くからは箒を立てたように見えるが、近寄ると見えなくなる伝説の木。私も遠くからは見えるが、近づくと見えない人間になろうと思いました。そして「蓬生」は、蓬が生い茂っているような荒れ果てた場所を意味しますが、杜甫の漢詩に出てくるフレーズです。

――それをそのまま、作家になる際に、ペンネームにしたと。

帚木　最初の作品である『白い夏の墓標』は、私が付けたタイトルを編集者に否定され、「このタイトルにしましょう」と提案されて、私も頷いたものなんです。

さらに、ペンネームの「帚木蓬生」についても、編集者から「読めない」とダメ出しをされました。でも、思い入れがあるだけに、そっちは頑として変えなかった……。

――そのおかげで約十年前、「紫式部か『源氏物語』で書きませんか」とのご執筆のお願いを出来たのですから、そのときの帚木さんに御礼を言わないといけないですね(笑)。

そもそも、紫式部か『源氏物語』については、いつか書こうと思われていたのでしょうか。

帚木　いや、そんなことは思ってもいなかったんです。まさに十年前、そのときは「ミステリ仕立てでどうか」とのお話だったわけですが、それを機に構想を練り始めました。書き始めたのは三年くらい前でしょうか。

――そうして書き上がったのが、四百字詰め原稿用紙四千枚前後の大作です。しかも手書きでいらっしゃる。すごいです。

ちなみに、『源氏物語』自体は、原稿用紙で二千数百枚だそうですので、それを大きく上回る、まさしく大河小説と呼ぶにふさわしい作品になりました。

帚木　作品の構造上、そうなってしまった面もあって……。

紫式部にしても、『源氏物語』にしても、そのすごさを描こうと思うと、ミステリでは難しい。

そこで、紫式部の生涯を本編として、それに『源氏物語』のパートが挿入されていくかたちを思いついて、今回の作品が出来上がりました。

紫式部の生涯だけでなく、『源氏物語』のすべてを存分に味わってもらうには、このかたちしかありえないのではないかと思います。

――たしかに、このかたちだと、『源氏物語』の現代語訳を読もうとして挫折した人も、読み進めることができるはずです。

しかも本編で、『源氏物語』について、紫式部がなぜこうした展開にしたのか、何を描きたかったのかもよくわかるので、とても理解しやすくなっています。

帚木　そうなんです。これまで『源氏物語』に挫折した人たちも、是非もう一度、この作品で挑戦してほしい。

同じ作家だからこそ、なぜ紫式部がこう書いたのか、わかってくる部分があるので、紫式部パートに入れ込みました。それが、『源氏物語』の解説にもなっているわけですね。

――では、同じ作家の目から見て、『源氏物語』はどこが素晴らしいと思われますか。

帚木　やはり、女性の描き方ですね。桐壺の更衣、藤壺、紫の上、夕顔、六条御息所、葵の上、明石の上、玉鬘、浮舟などなど、二十名以上の女君を、見事に描き分けています。

光源氏との関係性をうまく使って、それぞれのキャラクターを際立たせているのです。

――たしかに、これだけの数の女性

なんです。

――そんな紫式部が、なぜ『源氏物語』を書き始めたのでしょう。

帚木　紫式部の実像は、わからないことだらけです。

でも、彼女が生み出した『源氏物語』や日記からは、「心憂し」「心細し」と感じ続けていた一人の女性像が浮かび上がってきます。

逆に言うと、そうした想いを書きたかったんでしょう。書くことで、昇華（しょうか）できることもある。

江戸時代、作者の紫式部についての研究が進んでいませんでしたが、『源氏物語』に、日本固有の「もののあはれ」があると、本居宣長（もとおりのりなが）は唱えました。

その「もののあはれ」を底辺で支えているのが、紫式部がずっと抱き続けていた「心憂し」と「心細し」であったと、私には思えてならないのです。

帚木蓬生さんの、
紫式部と『源氏物語』をテーマとした作品

『香子（かおるこ）――紫式部物語』（全五巻）
ＰＨＰ研究所
予価:2,530～2,640円

＊第一巻は2023年12月に発刊。翌月より、毎月一巻ずつ発刊予定。
定価は税10％です。

ブックガイド

大胆な解釈、脇役への着目、作者自身に迫る……

千年の時を越えた傑作から生まれた、新たな物語の数々

文・末國善己

紫式部の『源氏物語』は、千年以上も読み継がれている古典文学の最高傑作の一つである。その影響は、樋口一葉、尾崎紅葉、志賀直哉、谷崎潤一郎ら近代文学の作家にも及んでいる。またアーサー・ウェイリーなどにより世界三〇以上の言語に翻訳されており、まさに日本が誇る世界文学といえる。

高校の古典の授業では定番の『源氏物語』は、物語世界に魅了された熱心なファンがいる一方で、古典文学の中でも難解なため苦手意識を持つ方も少なくないように思える。二〇二四年のNHK大河ドラマが紫式部（作中での名前は「まひろ」）を主人公に

した『光る君へ』に決まった。戦国時代や幕末と違って馴染みの薄い平安時代が舞台ではあるが、日本文学の源流を作った紫式部の生涯が大河ドラマになるのは意義深いと考えている。『光る君へ』で、紫式部と『源氏物語』に興味を持つ方も増えると思われるので、理解を深めるのに役立つ作品を紹介したい。

平安の天才・紫式部の人物像に迫る

まずは、作者の紫式部に焦点を当てた作品である。

平安文学研究者の山本淳子が書いた『**紫式部ひとり語り**』は、紫式部の独白形式で、宮廷での生活や『源氏物語』の誕生秘話に迫っている。『紫式部日記』に女房たちへの批判が書かれていることから、式部は高慢な女性とされることもあった。これに対し本書は、幼い頃に男性の領分だった漢文を学んだ式部は、高慢に見られないように振る舞う、内向的な女性だったとする。夫の宣孝を結婚後三年で亡くした式部は、悲しみを忘れるために『源氏物語』を書き、一条天皇の中宮になった藤原道長の娘・

『紫式部ひとり語り』
山本淳子著／角川ソフィア文庫
定価:968円

彰子の女房になる。『源氏物語』の執筆や彰子を支えることで、思い通りにならない現実に立ち向かう紫式部の姿には、現代の女性読者が共感できるところも大きいように思える。

夏山かほる『**新・紫式部日記**』は、宮廷文化の持つ政治性を明らかにしている。父の藤原為時に漢文を学んだ小姫は、父の失脚など不遇の中で『源氏物語』を書き継いでいた。それが藤原道長の目にとまり藤式部の名を与えられた小姫は、一条天皇の中宮になった娘の彰子を助けて欲しいと頼まれる。中宮に仕える女房たちが歌を詠み、物語を書いたのは、華やかな文化サロンを作り、天皇に渡っていただく機会を増やす目的もあった。彰子の産んだ子を次の天皇にしたい道長は、藤式部の物語の力で政争を有利に進めようとしていたのだ。子供の頃は漢文を学ぶことを批判され、大人になると権力者の意向に沿った物語を書くよう迫られた藤式部が、最も得意な物語を使って自分を縛る枷に抗っていく展開には、勇気がもらえるのではないだろうか。

森谷明子『**千年の黙　異本源氏物語**』は、紫式部を探偵役にした宮廷ミステリーである。一条天皇の后・定子は出産のため帝

『**新・紫式部日記**』
夏山かほる著／PHP文芸文庫
定価:880円

寵愛の猫と宮中を出るが、清少納言が牛車に繋いだ猫が、なぜか消えてしまう。この事件を通して中宮・彰子と対面した香子（紫式部）は、第二部では彰子の女房になる。香子の書く『源氏物語』は評判になるが、読者は誰も、光源氏が父帝の后・藤壺と密会した「かかやく日の宮」の内容を知らなかった。香子と阿手木の主従は、流布している写本から「かかやく日の宮」が消えていると気づき、その謎を追う。「かかやく日の宮」は『源氏物語』の帖の一つで、「桐壺」の別名、「桐壺」の一部、存在したが失われたなど諸説ある。森谷は独自の解釈で「かかやく日の宮」の謎に迫っているので、文芸歴史ミステリーとしても秀逸である。同じ題材を丸谷才一が『輝く日の宮』で書いているので、二作を読み比べてみるのも一興である。

帚木蓬生『香子（一）　紫式部物語』は、香子（紫式部）の生涯と『源氏物語』の現代語訳の両方が楽しめる贅沢な作品である。父の為時が弟で長男の惟規に漢籍の手ほどきをするのを横で聞いていた香子は、どんな書物もすぐに頭に入った。学識豊かな為時のはからいで具平親王ら一流の文化人と交流した香子は、漢

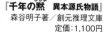

『香子（一）　紫式部物語』
帚木蓬生著／PHP研究所
定価：2,530円

『千年の黙　異本源氏物語』
森谷明子著／創元推理文庫
定価：1,100円

詩、和歌、琴などの才能をのばしていく。花山天皇や具平親王らの推挙で官位を得た為時だが、政争によって花山天皇が出家し一条天皇が即位すると職を追われた。香子は、具平親王の正室・延子に仕えている時に病弱だった姉を亡くす。姉は、藤原道綱母が書いた『蜻蛉日記』を「超えるものを書いておくれ」との言葉を残し、これが後に『源氏物語』を書く原動力になる。やがて為時が越前守に任じられた。これには一条天皇の母・詮子の進言で、実弟の道長が右大臣になったことが関係しているらしい。為時と共に越前に下った香子は、名産品の紙が自由に使えるようになった影響もあり、『宇津保物語』や『落窪物語』のような絵空事ではなく、『蜻蛉日記』のように女性の心情を描くが日記とは違いより普遍的な物語を「いずれの御時にか」の書き出しで綴り始める。香子の経験や、彼女が影響を受けた芸術作品、仏典が、どのように『源氏物語』に反映されたのかが丁寧に描かれているので、『源氏物語』に詳しくない読者も楽しめる。一巻目は香子が「若紫」を書いたところで終わっているので、今後の展開からも目が離せない。

藤原道長、和泉式部……同時代を生きた人物を主役に

次は、紫式部の周辺人物を取り上げた作品を見ていきたい。

永井路子『**この世をば　藤原道長と平安王朝の時代**』は、紫式部が仕えた彰子の父・藤原道長を主人公にしている。天皇の外戚として絶大な権力を握った道長は、政治闘争に勝利した陰謀家とのイメージがあるかもしれないが、永井は容貌も性格も教養も平凡な男として道長を描いている。そもそも道長は、藤原摂関家の同族争いに勝利した藤原兼家の五男で、道隆、道兼という優秀な兄もいたため後継者になる可能性は低かった。そして、道隆が病没すると、道隆の子の伊周ではなく道兼が関白になった。だが平凡であるが故に時代の流れを読む能力を身に付けていた道長は、道兼が病没すると伊周を抑えトップに立つ。永井は、道兼から道長への権力委譲には、伊周の母方である高階一族の抵抗があったが、左大臣・源雅信の娘で正室の倫子、一条天皇を産んだ姉の詮子の強い後押しがあった史実を指摘するなど、宮廷政治に女

『この世をば
藤原道長と平安王朝の時代』〈上〉〈下〉
永井路子著／朝日時代小説文庫
定価：各1,210円

性たちが果たした役割を丹念に掘り起こしていて、その中には道長の娘・彰子、紫式部も含まれている。

冲方丁『**月と日の后**』には紫式部も出てくるが、メインは藤原道長の娘で一条天皇の中宮になった彰子である。道長の命で一二歳で入内した彰子は、名家出身の女房たちと心を通わせられずにいた。帝の愛する定子が敦康を出産した二年後に崩御、道長から敦康の母になる命を受けた彰子は、帝を支え、敦康を守る国母になる決意を固める。そのためには公文書で使われ男性のものとされた漢文の知識が必要と考えた彰子は、漢籍の知識を使って人気の『源氏物語』を書いていた紫式部を教育係に招く。当初、彰子と紫式部の関係は良好ではなかったが、彰子の真意を知った紫式部は漢籍を教え始める。式部と強い絆で結ばれた彰子が、誰も不幸にならない社会を作るため、国母として専横を強める道長に立ち向かうまでに成長する展開は、胸を熱くしてくれる。冲方は、以前、定子と清少納言を描いた『はなとゆめ』を発表しており、こちらも紫式部の周辺人物を描く作品となっている。

諸田玲子『**今ひとたびの、和泉式部**』は、紫式部と同時期に彰

『月と日の后』〈上〉〈下〉
冲方 丁著／PHP文芸文庫
定価：各891円

子に仕え、紫式部が日記に「けしからぬかたこそあれ」と書いた和泉式部を主人公にしている。和泉式部は、恋多き女性とされてきた。これに対し諸田は、和泉守・橘道貞（たちばなのみちさだ）の妻になり娘（やはり彰子に仕えた小式部内侍（こしきぶのないし））を産むも別れ、一人で生きていかなければならなくなった和泉式部には、歌人としての地位を確立するために華麗な恋愛遍歴を重ねた一面もあったとする。当時の恋愛は政治とは無縁でないため、和泉式部の恋愛の裏に複雑な政治力学が垣間（かいま）見えるのも面白い。赤染衛門（あかぞめえもん）の娘・江侍従（ごうじじゅう）のパートと和泉式部の生涯を描くパートが一つにまとまる終盤は、不明なところが多い和泉式部の晩年の動向に迫る謎解きになるので、ミステリー好きも満足できるはずだ。

　紫式部自筆の『源氏物語』は現存していない。写本によって広まった『源氏物語』は、平安末期にはどれが紫式部が書いた本文か分からなくなっていた。そのため源光行（みつゆき）、親行（ちかゆき）父子や藤原定家（ていか）らが、多くの写本を突き合わせ『源氏物語』を紫式部が書いた状態に戻す校訂作業を行った。光行、親行が作成したものは河内本（かわちぼん）、定家の自筆、もしくは監督して筆写させたものは青表紙本（あおびょうしほん）

『今ひとたびの、和泉式部』
諸田玲子著／集英社文庫
定価：869円

と呼ばれ、現在、出版されている『源氏物語』の多くは、戦前の実業家で古典籍を蒐集した大島雅太郎が購入した、青表紙本の系統がほぼ全巻揃った写本（大島本）が底本になっている。周防柳『**身もこがれつつ　小倉山の百人一首**』では、定家が小倉百人一首を編纂したのは、朝廷と幕府が争った承久の乱で社会が混乱し、貴族文化が衰退する危機に抗う目的があったとされている。本書には直接的に『源氏物語』への言及はないが、定家が青表紙本を作成したのも似た理由とされているので、『源氏物語』を後世に伝えようとした定家の想いがうかがえる。

アレンジから生まれる斬新な作品

続いて、『源氏物語』の世界をアレンジした作品を紹介したい。光源氏の妻・女三の宮と柏木の不義で生まれた薫大将（表向きは光源氏の子）、今上帝が父、光源氏の娘・明石の中宮が母で、光源氏の妻・紫の上に養育された匂の宮、宇治の大君、中の君の異母妹で薫大将が想いを寄せた大君に似ている浮舟の三角関

『身もこがれつつ　小倉山の百人一首』
周防 柳著／中央公論新社
定価:2,090円

係を描いた『源氏物語』の宇治十帖には、未完との説もある。国文学者でミステリー作家の岡田鯱彦が書いた『**薫大将と匂の宮**』は、宇治十帖に幻の続編が存在し、額を割られた浮舟の死体が宇治川に浮かび、薫大将に疑惑の目が向けられるなか、浮舟と同じような傷がある中の君の死体が見つかる。この殺人事件をめぐり、作者の紫式部と清少納言が推理合戦を繰り広げるメタフィクション的な展開になっていて、『源氏物語』のその後を描いた物語としても興味深い。

瀬戸内寂聴『**女人源氏物語**』は、『源氏物語』に登場する女御や女房たちの語りでストーリーを再構成している。紫式部は女性たちの心理を丁寧に描写しているが、古典を読み慣れていない現代人はそれを把握するのが難しい。瀬戸内は一章ごとに語り手の女性を変えることで、光源氏に愛される喜び、足が遠のいたことによる悲しみと嫉妬などを浮かび上がらせており、現代の恋愛小説のように『源氏物語』の世界を楽しむことができる。

田辺聖子は、光源氏とオリジナルキャラクターのヒゲの伴男のコンビを主人公に、『源氏物語』に忠実な『私本・源氏物語』、

『決定版　女人源氏物語〈1〉桐壺～紫炎』
瀬戸内寂聴著／集英社文庫
定価：715円

『薫大将と匂の宮』
岡田鯱彦著／創元推理文庫
定価：1,100円

アレンジを強くした『新・私本源氏　春のめざめは紫の巻』を発表したが、最も原典から離れているのが『**恋のからたち垣の巻　異本源氏物語**』である。伴男は光源氏の忠実な家臣だが、年を取っても色好みを続け、若い美人を求める主人を諫めることもあった。いつまでも若い頃のように振る舞う光源氏と、年相応の分別を身につけた伴男の対比には、特に中年以上の男性読者はどちらの生き方を選ぶか考えてしまうのではないか。

身分が高く教養もあるが、プライドが高く、光源氏がもてあますようになった六条御息所は、その嫉妬心で光源氏が愛する女性を苦しめることになる。六条御息所を語り手にして光源氏と女性たちの関係をとらえ直した林真理子『**六条御息所　源氏がたり**』は、嫉妬深いとされてきた六条御息所の人物像を変え、複雑な男女の愛憎劇を現代人にも共感できるように描いていた。

最後に、入門書として最適なアンソロジーを二作紹介したい。

九人の作家がそれぞれの手法で『源氏物語』に挑んだ『**源氏物語　九つの変奏**』は、現代語訳に近いものから、大胆にアレンジしたものまでバラエティ豊かな作品が収められている。原典をさ

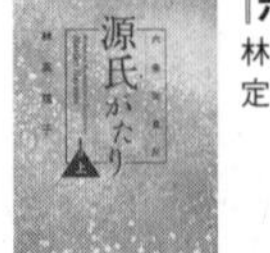

『六条御息所　源氏がたり』〈上〉〈下〉
林真理子著／小学館文庫
定価：上巻737円　下巻803円

『恋のからたち垣の巻　異本源氏物語』
田辺聖子著／集英社文庫
定価：597円

らにパロディ化した町田康「末摘花」、光源氏と葵の上を現代のカップルにした金原ひとみ「葵」、後に『源氏物語』の全訳を手掛ける角田光代「若紫」が特に印象に残っている。

末國善己編**『君を恋ふらん　源氏物語アンソロジー』**は、宇治十帖を基にエロティックな世界を作った瀬戸内寂聴「髪」、『源氏物語』を題材にした能「葵上」をベースに、葵上に憑いた生霊と魔を祓う照日ノ前の戦いを描いた澤田瞳子「照日の鏡　葵の上」、赤染衛門を語り手にして、藤原道長が権力を握るまでの宮廷陰謀劇と、清少納言『枕草子』、紫式部『源氏物語』の創作秘話に迫る永井紗耶子の書き下ろし「栄華と影と」など、『源氏物語』の世界を独自に解釈した作品から歴史小説まで六作を収録している。

紫式部、清少納言、和泉式部、赤染衛門らが残した歌、物語、日記は、働く女性の葛藤、恋愛の悩み、家庭での苦労など現代と変わらない心情を伝えている。今回、取り上げた小説を足がかりにして、豊かな古典文学への理解を深めて欲しい。

『君を恋ふらん　源氏物語アンソロジー』
末國善己編／角川文庫
定価：814円

『源氏物語　九つの変奏』
江國香織、角田光代他著／新潮文庫
品切れ中

※定価は税10%です。

おいち不思議がたり

誕生篇 第五回

あさのあつこ

Asano Atsuko

紅色の幻

廊下が賑やかになった。

講義が終わったらしい。軽やかな足音がして、障子が音を立てて開いた。

「あー、お腹、空いたぁ。何か食べたいけど」

丸顔の少女が入ってくる。入ってくるなり、おいちと美代に気が付き、口元を押さえた。

「あ、お、おいちさん、美代さんも、おらしたですか」

「はい、いましたよ。おイシさん、お煎餅があるわよ。おあがりなさい。今、美味しいお茶を淹れますからね」

おイシは紅潮した顔を横に振った。

「そ、そんな、よろしいです。先輩がおらしたと気が付かんで……は、恥ずかしい」

おイシは江戸のはるか北にある小さな村の出だ。村に一人しかいない医者として、日々、奮闘している父親を見て育ち、その父の跡を継ぐため、石渡塾に入塾してきた。初めのころこそ、口が重く、おどおどとして見えたが、このところ明るく、屈託のない物言いや表情をするようになった。おそらく、それが、本来の気質なのだろう。

「おイシさん、何をもじもじしてるの。邪魔よ、どいて」

おイシを押しのけるようにして、細身の少女が現れた。

その少女、加納和江も医者を父に持つ。ただし、こちらは、高名な漢方医で大店の旦那衆を主な患者としていた。和江は、そういう父を金の亡者と毛嫌いし、父とは逆の、人のための医者になると公言して憚らない。

父親との確執のためなのか、もともとの性質なのか、和江はめったに喜怒哀楽を面に出さない。いつもむっつりとして、暇があれば書物を開いている。他愛ないおしゃべりの輪に入ってくることは、ほとんどない。

　おイシと和江の後ろにいたのは、お通だ。三人の中で一番若く、顔立ちの中にあどけなさを残している。そのわりに、しっかりと自分の行く末、一人前の医者として生きるという未来を見据えているのは、込み入った事情の生い立ちがあるからだろう。

　三人三様ではあるが、それぞれが誰に強いられたわけでもなく、自分の志で入塾し、学んでいるのは同じだった。むろん、おいちも美代も、そうだ。

だから、塾内では〝先輩〟ではなく、名前を呼び合う。取り決めがあるわけではない。おいちと美代が〝先輩〟、ましてや〝先生〟などの呼称を拒み続けた結果だ。

「生薬の講義は終わったのね」

　おいちは腰を上げる。この講義を馴染みの生薬屋の主人に頼んだのは、おいちだ。主人はつごう三回にわたる講義を快く、引き受けてくれた。礼を伝えておきたい。

「あ、おいちさん」

　座敷を出ようとしたとき、和江に呼び止められた。

「おいちさん、お願いがあります」

　背の高い和江が前を塞ぐように、立つ。

「お願い？　あたしに？」

「はい。今度、松庵(しょうあん)先生の許(もと)にお手伝いに行かせてください。お願いします」

和江が頭を下げる。

「え、手伝いって……診療の手伝いってこと？」

「はい」

「でも、和江さんたちは、今、医術の基(もと)の基を習っているのよ。患者さんと接するのは、早すぎるでしょ」

「講義も大切だとよくわかっています。蔑(ないがし)ろにする気など、毛頭(もうとう)ありません。でも、実際に治療の場にも立ち会ってみたいのです。駄目(だめ)でしょうか」

前回までのあらすじ

おいちは、江戸深川の菖蒲(しょうぶ)長屋で医師である父・松庵(しょうあん)の仕事を手伝いながら、医師になるため石渡塾(いしわたじゅく)に通っている。そして飾り職人の新吉(しんきち)と結婚し、子供を宿す。伯母のおうたは、戌(いぬ)の日に帯祝いをすると張り切っている。ある日、六間堀(ろっけんぼり)で若い男の死体が見つかる。男の懐(ふところ)からは、新吉が通う「菱源(ひしげん)」の印が入った鑿(のみ)と風鈴(ふうりん)が出てきた。「菱源」の親方は、男は渡り職人の正助(しょうすけ)だと証言するが、新吉は疑念を抱く。おいちは新吉から話を聞くが、判然としない。おいちの耳許(みみもと)には風鈴の音が聞こえていた。

「駄目よ」

和江の表情が強張る。頬が震えた。

美代もおイシもお通も黙って二人を見ている。座敷内は一瞬だが静まり返った。

和江が指を握り締めた。そのこぶしも震えている。

「でも、でも……美代さんは度々、手伝いに行かれていると伺いました。患者さんと直に向き合えば学問だけではわからない医術が見えてくると、石渡先生とお話ししているのを聞きました。それなら、わたしも学びたいです。おいちさん、お願いします」

「駄目です」

「どうしてですか。なぜ、駄目なんですか」

「邪魔になるからです」

和江が目を見開いた。唇を真一文字に結び、おいちを見据える。ほとんど睨むような眼つきだった。

「和江さん、藍野松庵の許にやってくる患者の中にはね、重い病に罹っていたり、怪我を負っている人が大勢いるの。どうしてだか、わかる?」

「それは……松庵先生の評判を聞きつけて、集まってくるからで……」

「違うわ。貧しいからよ」

和江が瞬きした。厳しい表情が、束の間だが緩む。

「患者さんの大半はその日暮らしの貧しい人たちなの。日々の暮らしに精一杯で、薬礼にまでとても手が回らない、そんな人たち。だから、医者にかかるのを躊躇うの。躊躇って、我慢して、ぎりぎりまで堪えて、堪えきれなくて父の許に駆け込んでくる。だから、たいていの人は病が進み、傷も悪くなっている。この前も……」

「馬鹿野郎。なんで、こうなるまで放っておいたんだ」

「でも、先生……」

「でもじゃない。もう少し早くくれば、ここまでにはなってなかったんだ」

「でも、先生、お金がないんです。お支払いするお金がなくて……すみません」

「謝ったって病は治らん。くそっ、金と命を天秤にかけやがって。おいち、湯を沸かしてるか？　よし、次にふの壱の薬を溶いて、湿布を作ってくれ」

「先生、息が苦しくて……胸が痛くて息が……」

「もう少し我慢しろ。ここまで、しなくてもいい我慢をしてきたんだ。今度はしなくちゃならない我慢の番だ。もうちょっと頑張りな。すぐに、楽にしてやる。おいち、湿布を急げ」

そんな患者とのやりとりがあった。

「病だけじゃない。傷が膿んでどうしようもなくなって、やってくる人もいる。血だらけになって運び込まれる人もいる。熱が高くて譫言を言ってるお年寄りも、骨が折れて泣き叫ぶ子どももくるのよ。そんなとき、一々、指図を聞いている余裕はないの。自分のやるべき仕事を自分で察して動かなきゃならない。それができなければ、その場に突っ立っているしかできないわけ。邪魔だって言った意味がわかるでしょ」

和江は血の気のない硬い表情のまま、うつむいた。

「和江さんは学びたいと言ったけど、患者さんは学問の道具じゃない。必死に生きようとしている人間なの。自分の学びに役立てたいじゃなくて、この人を助けたい。死なせたくないって気持ちがいるの。そうでなければ、患者さんと向き合う場には立てない」

おいちは息を吐き出し、和江の腕にそっと触れた。

「焦らないで、和江さん」

やはり、そっと声をかける。

「あなたは、いえ、わたしたちは、まだ歩き出したばかりよ。これから、じっくりいろんなことを知って、覚えて、学んでいくの。焦ったって、早くいい医者になれるわけじゃないでしょ。ううん、焦れば焦るほど、目指した所から外(はず)れることもあるの」

「やめて」

和江が腕を引いた。おいちが思わず声を上げるほど、唐突(とうとつ)で乱暴な仕草(しぐさ)だった。

「お説教なんて、いいです。もう、うんざり」

和江が一歩、さがる。頬が強張っているのは、奥歯を嚙(か)み締(し)めているからだろう。

そのとき、おいちは悲鳴をあげそうになった。

何？　何が起こった？　何が……。

和江の胸から上が紅(あか)く染まっている。しかも、斑(まだら)に。まるで、たくさんの血が飛び散ったようだ。和江は血飛沫(ちしぶき)を真正面(ましょうめん)から浴びている。ものすごい量の血を。寸(すん)の間(ま)だった。寸の間で和江を染めた紅色は消えた。

消える寸前、おいちの耳底に澄んだ音が響いた。三度、微(かす)かに、でも、確かに響いた。

チーン。チーン。チーン。

この音は？　あまりに微かで正体(しょうたい)がわからない。おいちは生唾(なまつば)を吞(の)み込んだ。

「和江さん、あの、あのね」

「もういいです。もう、頼みません」

身をひるがえし、和江が部屋を飛び出していく。

「あ、待って。和江さん、和江さん」

「おいちさん、走っちゃ駄目」

美代がおいちの手首を摑んだ。

「転んだら、どうするの。走らないで。身重だってこと忘れないの」

「あ……そうだった。でも、和江さん、様子が変じゃない」

「ええ、昨日あたりから少し苛ついているのよ。一人塞ぎ込んでいるみたいだしね。おいちさんの言う通り焦っているのかもしれない。でも、理由がわからないのよ。塾での学びは始まったばかりで、焦るところまでいってないでしょ」

美代が手を放し、肩を竦めた。

「あの……」

それまで黙っていたお通が口を開く。その口をもごりと動かし、躊躇うように目を伏せた。

「あの、和江さん、おうちから帰ってくるように言われているのじゃないでしょうか」

息を吞み込んで、お通は目を上げた。

「あの、たぶん……縁談があるんだと思います」

「えー、縁談けっ」

おイシが頓狂な声を上げた。おいちは部屋に戻り、お通の前にすわった。

「和江さんに、お嫁入りの話が持ち上がっているの？」

おいちの問いに、お通はゆっくりと、深く頷いた。

「はい。あの、わたし、和江さんと男の方……たぶん、加納家の奉公人だと思うのですが、かなりお年の男の方が話してるのを聞いてしまって……」

「それは、どこで聞いたの？　お家の中？　外？　教えてちょうだい」

今度は、美代が問う。口調は柔らかく、優しげでさえあった。こういうところも、かなわないなあと、おいちは思う。

あたしだったら気持ちが急いてしまって、お通さんを問い詰めてるかもしれない。どこで？　いつ？　何を聞いたの？　しゃんしゃん、しゃべって。

ふっと仙五朗を思い出した。あの老岡っ引も他人への問い方が抜きん出て上手い。神業とまでは言わないが、巧みで細やかで自在だ。相手に合わせて、優しくも厳しくもなる。圧するようであり、労わっているようであり、恐ろしくもあり、頼もしくもある。あれほど変幻自在ではないが、美代もなかなかの巧者だ。

「外です。裏の木戸の所です。わたし、洗濯物を干そうと思って裏手に回ったんです。そうしたら、木戸の所で和江さんが誰かと話をしていたんです。わたし……脅されているのかと思いました」

「脅されてる？　和江さんが？」

「はい。そんな風に見えたんです。和江さん、真っ青な顔をして身体を震わせていました。何かを怖がっているみたいでした。今にも悲鳴をあげそうでした。それで、わたし、洗濯の籠を置いて、駆け寄ったんです。あの、助けなくちゃと思って。そのとき、はっきり聞こえたんです。『断ります。わたしは家に帰る気もお嫁に行く気もないって、父さまに伝えて』って。それから、和江さん、逃げるみたいに家の中に入っていって……あ、さっきみたいな感じで、走っていったんです。そのとき、わたしのことに気が付いたはずだけど、何にも言わないままでした」

「まあ、そんなことがあったの。まるで、気が付かなかった。お通さん、それ、いつのこと？」

「一昨日です。あの、まだ続きがあって……。すいません、もたもたしていて」

お通には詫び癖がある。すぐに、自分が悪いと詫びるのだ。それは、母親と離され、祖父母や叔父の許に預けられた生い立ち故なのだろうか。おいちには、わからない。ただ、自分に非があると詫び続けるたびに、人は己の心を削っている。たくさんの患者と、たくさんの人々と接してきて、おいちはそう感じている。素直に非を認め、詫びるのは大切だ。美しい行いでもある。でも己を責めることは、己に穴を穿つことでもあるのだ。小さな穴が増えれば増える程、人は脆くなる。

そんなに自分ばかりを責めちゃいけないわ。あなたが詫びる謂れはないのよ。

機会があるなら、お通に伝えたい。

美代がかぶりを振った。それから、少し微笑んで見せる。

「ううん、いいの、いいの。もたもたなんかしてないわ。ゆっくりでいいから知っていることを話してくれる。ここにいる誰も他言はしないから、ね、おイシさん、おいちさん」

「もちろんだ。でも、和江さん、無理にでも家に連れて帰られるかもしれんですか」

おイシの顔が曇った。

「わからない。ただ、あの、わたし、奉公人の方から声をかけられたんです」

おじょうさまに伝えてくださらんか。我儘を言い張って、いつまでも帰ってこないようなら、旦那さま自ら、お迎えに来られますぞと。祝言の日取りも既に決まっているのだから、覆しようはありませんとも伝えておいてください。本当に我儘もたいがいにしてほしいものです。困ったお人だ。

加納家の奉公人らしき男は、そう言い捨てて、お通に背を向けた。

「わたし、何だか悔しくて、悔しくて堪らなくなって、路地まで出て叫んじゃったんです。『和江さんは我儘なんかじゃありません』って。奉公人の方、びっくりしたみたいで振り返って、顔をしかめてました。『大声を出したりして、はしたない娘だ』なんて言われました。わたし、はしたなくても構わないって答えました。だって、本当にそうなのですもの。和江さん、ちっとも我儘なんかじゃない。必死に学んで、必死に努めていて、わたしたち、いつも、和江さんに引っ張られて頑張れるって話をしてるんです。ね、おイシちゃん」

「うん、お通ちゃんの言う通りだ。和江さんは立派です。わたしら、和江さんがおるで頑張れとるところも、いっぱいあります」

「あら、あなたたち」

美代が顎を引いた。

「いつの間にか、ずい分と仲良くなってるのねえ」

お通とおイシが顔を見合わせて、肩を窄めた。

「でも、そういうことなら……加納家から正式に退塾のお話がくるかもしれないわねえ」

美代の眉が強く寄った。眉間に皺ができる。

「ええ、そんな。それじゃ、あんまりだ。和江さんが、かわいそうだ」

おイシが前に出てくる。お通も拝むように両手を合わせた。

「美代さん、おいちさん、和江さんは本気です。本気で、一生を懸けるつもりで学んでいるんです。退塾なんて、そんなことさせないでください」

「ええ、もちろん、本人の意思を一番に考えなきゃならないわ。いくら、親だって、勝手に身の振り方を決めてもらっちゃ困るもの。お通さん、今の話、明乃先生にお伝えしてもいい？　たぶん、日を置かず、加納家から何らかの報せがあると思うの。その前に、お耳に入れておきたいのよ。ね、おいちさん」

「え？　あ、うん。そうね。策を練らないとね」

「……どうしたの？　ぼんやりして。まだ悪阻が収まらない？」

「あ、ううん。そんなことない」

「そうよね。収まるも収まらないも、おいちさん、悪阻なんてほとんどなかったものね」

「うん。まあ、そうだけど……」

「ほんとにどうしたのよ。他に気になることでもあるの」

ある。さっきの和江の姿だ。

あの紅の染み、血飛沫だとしか思えない。むろん幻だ。和江にも和江が身につけていた井桁模様の小袖にも、血飛沫どころか染み一つなかった。でも、禍々しい気配が漂っていた。嫌な気配だ。それだけは確かだった。

　また、見た。見てしまった。

　自分の見る幻がただの幻で終わらないと、骨身に染みている。指の先が冷えてくる。

「ともかく、わたし、今夜にでも明乃先生に相談してみるわ。お通さん、おイシさん、二人して、それとなく和江さんを見ていてくれる？　おいちさんが言った通り、和江さん、焦っているのよ。連れ戻されてしまうかもって不安でしょうがないと思う」

　美代の口調は落ち着いて、穏やかだった。その声に、心が静まる。

　おいちは息を短く吸い、長く吐き出した。

「そうね。あたし、知らなかったとはいえ、酷いこと言ったかなあ。和江さんにすれば、どうしていいかわからなくて縋ってきたんだよね。それを邪魔だなんて撥ねつけちゃった」

「でも、事実でしょ」

　美代の一言に、おいちは頷くしかなかった。

　どんな経緯があるにしろ、まだ医術のイロハも知らない和江を診療の場に誘うことはできない。菖蒲長屋のあの小さな場所は、患者のためだけにあるのだ。

お通から話を聞いた後であっても、おいちは和江の願いを撥ねつけただろう。

「こんなときって、どうすればいいのでしょう。わたしたちに出来ることって何もなくて」

お通が悲しそうに顔を歪めた。

「そんなこと、ない」

おいちは、お通とおイシの膝を叩いた。

「あなたたちが傍にいてくれること、和江さんにとって、すごい支えになるの」

本気で二人の少女に伝える。

「あたしも、そうだもの。挫けそうになったときも、負けそうになったときも、傍らにいた人たちに支えられて何とかやってこられた。自分の傍に誰かがいるってこと、とってもとっても大切よ。あなたたちが考えているよりずっと大きな力になるの」

「おやおや、それはご亭主のことかしらね」

「もう、美代さん。ここは茶化すところじゃないでしょ」

「あはは、ごめんなさい。でも、ほんとにそう。人って一人じゃ生きていけないからね。偉そうにふんぞり返っているやつに限って、それがわかってないから困るのねえ。加納堂安先生がそうじゃなきゃあいいけど」

耳に届いてくる噂や和江の言葉から察するに、ふんぞり返っている見込みの方が高い。もしそうなら、この先、厄介なことになると覚悟しておかねばならないだろう。

お通がすっと背筋を伸ばした。おイシもそれに倣う。

「わたしたち、和江さんと話をしてみます」

小さな声だったがちゃんと聞き取れた。

「和江さん、いつでも一人で何とかしようとするから……。そういうところ偉いなあとも思うけれど、でも、一人じゃどうしようもなくなったとき、わたしたちがいるよって伝えられたら……いいよね」

「うん。ちゃんと伝えるのがいいだな」

おイシが何度も首肯する。おいちは、胸元をそっと押さえた。

あ、これなら大丈夫だ。

和江だけではなく、お通も大丈夫だ。そう思えた。

詫び癖なんて心配しなくてもよかったんだ。お通さんはお通さんなりに、強くなっている。逞しくなっている。あたしが、それに気が付かなかっただけだったんだ。

我ながら、頓珍漢な心配をしていたと恥ずかしくなる。そして、嬉しくなる。

この二人が付いているなら、和江さんは踏ん張り切れる。

ただ、その高鳴りはすぐに沈んでいった。

この件とさっき見た和江の禍々しい姿は、別のものだ。全く別の剣呑さが和江には纏わりついている。退塾云々のように、目に見えている厄介事ではない何かが……。

「さ、間もなく、次の講義が始まるわ。あなたたち、今のうちに腹ごしらえしときなさい。腹が減っては戦はできぬ、よ」

美代が煎餅を差し出す。おいちは立ち上がり、廊下に出た。

これから、どうするべきか考えながら、母屋へと歩いた。

どうしよう。どうしたらいいだろうか。

思案を巡らせても答えは一つしかない。

暫く様子を見守る。それしかない。

ここで、じたばたしても得るものはないし、かえって事をややこしくしてしまう恐れもあった。これまで経てきた日々が教えてくれる。

でも、仙五朗親分には報せておこうか。

一人、胸内に仕舞い込んでおくには、あまりに禍々しい。悪心さえ覚えてしまう。吐き出せるとしたら、相手は仙五朗しかいない。

半白の髷をいつもきっちりと結った岡っ引に心を馳せる。事件に関わるさいの鋭い眼差し、引き結んだ口元ではなく、目元を綻ばせ、柔らかく笑う顔が眼裏を通り過ぎていく。

足が止まった。ごくりと喉が鳴った。自分が生唾を呑み込んだのだと気が付くのに、僅かの間が要った。仙五朗がきっかけになったのか、あの音の正体に思い至った。和江の幻を縁どるように、耳奥に響いた音。

風鈴だ。

リーン。リーン。リーン。

夏にどこかの軒先から聞こえて来たなら、澄んで美しいとも涼やかだとも心地よさを覚えただろう。しかし、今はそんな悠長な心持ちにはなれるわけがなかった。

どうして、風鈴の音なんて聞こえたの。

「あらぁ、鵜野屋さん、もうお帰りですか。ご苦労さまでしたねえ」

おうたの陽気な声が耳に飛び込んできた。それで、息が吐けた。石渡塾は『香西屋』の離れを借りて開いているのだから、母屋におうたがいるのは当たり前だ。

おうたは、まもなく帯祝いの日だとかで、このところやけにどたばた走り回っている。もっとも、祝い日があってもなくても、たいてい走り回っている人なのだが。

いつもは、ちょっとうるさ過ぎるし大き過ぎるおうたの声に、今日は救われた気がした。

風鈴の音のことも含め全てを親分さんにお伝えしておこう。

決めると少し、心が軽くなった。お腹のあたりをそっと撫でる。

ごめんね。おっかさん、いつも気持ちを騒がせてるね。あんたのためには、よくないよね。でもね、人の生き死にに関わってくるかもしれないの。だから、おっかさんに、もうちょっとじたばたさせてね。

そっと語り掛ける。さらに心が落ち着いてくる。

ここにも、あたしを支えてくれる命がある。助けてくれる命がある。

「ありがとう」。声に出して呟いて、おいちは足早に歩を進めた。

香西屋の廊下で、おうたと商人風の男が立ち話をしている。ただし、しゃべっているのは、おうただけのようだ。面長の優しい顔立ちをした男は笑みを浮かべ、時折、頷いているだけだ。おいちには、その笑みが苦笑にしか見えなかった。

「直介さん」

おいちは男の名を呼び、駆け寄った。おうたが振り返り、眉を吊り上げた。

「おいち、走るんじゃないよ。何度言ったら、わかるんだい」

「あ、はいはい、ごめんなさい。だって、急がないと、お帰りになってしまうと気が逸ったの。直介さん、三度にわたるご講義、ほんとうにありがとうございました」

深々と頭を下げる。

「あ、いやいや、とんでもない。明乃先生からもご丁重なお礼を告げられて、かえって恐縮しております。講義といっても、商いで扱う生薬の話をしただけですのに」

「それが何より役に立つのです。また、どうか、よろしくお願いします」

「はは、おいちさんの頼みであるなら、どんな無理難題でも引き受けますよ。おいちさんは、わたしを生かしてくださった方なのですからね」

「そんな、大げさな」

「いいえ、おいちさんがいなかったら、わたしは生き延びることはできなかった。今の命は、おいちさんから頂いたものだと、肝に銘じております」

頬が火照る。そんな風に言われると、居たたまれない心持ちになる。

男は常盤町の生薬屋『鵜野屋』の主だった。もう五年も前に、さる事件絡みで深く関わり合った。悲しくて、惨い事件だった。何人もが亡くなり、直介も苦しみ続けた。

でも、生きている。

「死んでいったみんなの分も生きぬいてみせる。何があっても、生きぬいてみせるから」

五年前に血を吐くように叫んだ直介は、商家の主としての風格を漂わせて、おいちの前に立っている。生きて立っている。

「直右衛門さんだよ」

おうたが口をはさんできた。

「直介さんじゃなく、鵜野屋直右衛門さん。代々の鵜野屋のご主人の名前をお継ぎになったのさ。貧乏長屋の貧乏医者と違って、ちゃんと受け継ぐお名前があるんだよ。ほんとに、立派なことだねえ。貧乏医者とは雲泥の差だよ。もっとも、貧乏医者の名前を貰ったって、嬉しくも、めでたくもないけどさ」

「伯母さん、そこまでしつこく貧乏医者って繰り返すことないでしょ。昔に比べれば、ずっとマシになったんだから。あっ、講義とは別に、いつも生薬の値を安くしてくださって、そちらもありがとうございます。おかげで、いい薬が使えてありがたいと父が喜んでいます」

「おやまあ、あんな化けそこなった狸みたいな男でも、人並みにありがたいって感じるんだねえ。へえ、驚いた。やっぱり狸じゃなくて人なのかねえ」

「伯母さん、いいかげんにして。そりゃあ、父さんはちょっとぐらい狸に似ているかもしれないけど、ちゃんとした人です。狸に人の治療ができるわけないでしょ」

直介が吹き出す。

「ははは、相変わらず楽しいな。おいちさんもお内儀さんも。いつか、わたしも、おいちさんのような楽しい方と一緒になれたらと思いますよ」

「ほんとにねえ。鵜野屋さんに嫁がせていただけたら、どれほどよかったか。なのに、この娘ったら、貧乏職人の女房なんかに収まっちゃって。あたしとしては、落胆この上ないんですよ。ほんと、親がまともじゃないんだから、亭主ぐらいまともな相手を選べばいいのに」

おうたが、わざとらしく吐息を零す。

「まともで、立派なご亭主のようですね。少なくとも、おいちさんは今、幸せなんだ」

「わかりますか」

「わかりますとも。でも、ご亭主はもっと幸せなのでしょうね。それも、わかります。わたしも負けずに、自分で自分の幸せを摑みますよ」

一礼すると、直介は去って行った。その背中に目を凝らす。

何もなかった。黒い靄も血の染みも、不穏なものは何一つ、ない。

直介さん、真っ直ぐに前を向いている。

あの血に塗れた事件を潜り抜け、一切の不穏を払い落して、前を向いている。

人はそういう風にも生きられるのだ。

勇気づけられる。怯えなくていい。人は人の力で生き直せる。おいちは去っていく背中に、もう一度、さっきより深く、頭を下げた。

「ところで、帯祝いのことだけどね。相談があるんだよ」

「伯母さん、ごめん。それ、少し伸ばしてくれる」

「はあ？　今さら、何を言ってるんだい。次に戌の日と大安が重なるのは、いつになるかわかってるのかい。あたしが、用意万端整えようとしてるのに」

「だから、ごめんなさい。でも、たぶん、お祝いどころじゃなくなる気がするの」

「……それ、どういう意味なんだい、おいち」

おうたの双眸がきらりと光った。それに、気付かない振りをして、おいちは庭に目をやる。光の注ぐ風景を見ながら、明日、親分さんに逢えるだろうかと、そればかりを考えていた。

〈つづく〉

世界はきみが思うより

第五回 プウンドケーキ（前編）

寺地はるな
Terachi Haruna

「夏休みって旅行とかするの？」

道枝くんはそう言ってからスパイスの小瓶を手にとった。軽く振ってみて、値段を見て、ていねいに棚に戻す。七月最後の５パーセントオフデーのスーパーマーケットの棚はどこもかしこも暴徒でも押し入ったかのように乱れている。でもここだけは、完璧な秩序が保たれていた。スパイスは割引の対象外だからだろうか。

「いろんな種類あるけど、これぜんぶ用途が違うんやな」

「もちろん」

「いったい、なにがどう違うんか、わからへん」

ぜんっぜん違うよ、というのが道枝くんの返答だった。

「香川家では、スパイスはそんなに使わないんだね」

「うん。そういうおしゃれなもんは」

おしゃれかなぁ？　道枝くんの語尾が愉快そうに跳ね上がる。

「でもこれは使ったことある」

ローリエの瓶を指さした。小学生の頃に母の日にビーフシチューをつくったことがあった。料理の本にある「ローリエ」がなんなのかわからず、店員さんに訊ねた。小学生の目には乾燥した葉っぱのようにしか見えず、この人店員じゃなくてたぬきかなんちゃうか、とバカな疑念を抱いた。

「ふーん。母の日に料理ね」

「けなげやろ、ぼく」

道枝くんはちょっと笑っただけで、なにも言わなかった。小学生の頃から料理をしていたと言うと、たいていの人が「けなげ」「えらい」と言う。言われたかったわけではないが、すこし物足りないような気もする。

まあたしかに道枝くんにとっては子どもが料理するなんて珍しいことでもなんでもないわな、と思いながらスパイスコーナーの隣の製菓材料の棚に移動し、小麦粉の袋をとってカゴに入れる。家にある小麦粉と同じメーカーだ。でもパッケージも商品名も違う。道枝くんが言うには、お菓子にはぜったいにこれ、らしい。ぼくたちは今日一緒にパウンドケーキをつくることになっている。

「で、冬真は旅行とかするの？　お母さんと」

「せえへんよ」

小学生の頃ならともかく、高校生にもなって母親と一緒に旅行なんておことわりだ。

「他の予定は？」

村中と茅島がプールに誘ってくれたのだが、断った。他のクラスの女子も一緒やで、女子とプール行きたくないん、と驚かれ、すこし返事に困った末にやっぱり断った。女子のひとりが村中と良い雰囲気らしい。つきあうかもしれへんで、と茅島は我がことのように興奮していた。

「予定は、『時間の許すかぎり道枝くんと遊ぶ』やな」

道枝くんがびっくりしたように立ち止まる。なにをびっくり顔しとんねん、と呆れつつ、若干不安にもなってきて「……え、違ったっけ？」と続ける。いいや、違ってはいない。時間の許すかぎり云々と先に言い出したのは道枝くんだ。しかも始業式の前日に、教室で、みんなの前で、言ったのだ。なぜか女子のグループから悲鳴のような声が上がり、お前ら仲良しか、と村中が笑い、高木みつきさんはいろんなもの（困惑、疑念、羨望など）がないまぜになったような目でぼくを見ていた。

「そのとおり」

満足げな笑みを浮かべた道枝くんが、ぼくの手からカートを奪う。レジを待つ長蛇の列の最後尾に並んだ。前方ではカートに乗せられた子どもがビスケットの箱をかたくなに握りしめており、母親らしき人に「これピッてせなあかんの、ピッて」と説得されていた。ぼくたちの順番が来るのはもうすこし先になりそうだ。

「しかし夏休みを通してやる『遊び』がお菓子づくりでほんまにええんかな。高校生らしさにかけるんちゃう？」

なにがしたい？　と道枝くんに訊ねたら「この夏は、ともに焼き菓子を極めようではないか」と提案された。同じ分量のパウンドケーキでもホイップしたバターと溶かしバターでは食感がどんなふうに違うのかとか、卵白だけメレンゲにしたらどう変わるのかとか、そういうことを実験したいらしい。

「じゃあどんな遊びなら高校生らしいの？」

「女の子とプールとか」

「うん」

「花火大会とか」

「ほうほう」

「あとなんやろ……テーマパークとかかな」

道枝くんが笑い出した。

「ぜんぶ、冬真の好きじゃないことだね」

そのとおりだ。花火大会もテーマパークも、人が多い場所は好きではない。

「いいんだよ。高校生が高校生らしさを追求しなくたって」

「ま、それもそうやな」

このスーパーマーケットは二階建てになっていて、二階にはいくつかの個人病院や調剤薬局がある。会計を終えたあと「ぼく、ここの皮膚科に通ってる」と道枝くんが階段のほうを指さした。思わず横顔を盗み見たが、クラスの女子からうらやましがられるほどつるつるの肌をした道枝くんがどのような皮膚の疾患を抱えているのかは謎だった。道枝くんがちらりとこちらを見る。

「肌がかぶれやすいからね、塗り薬をもらいに行くんだよ」

「あ、そうなんや」

「気になるんなら訊けばいいのに」

「ずけずけ訊いたらあかんこともあるやろ」

道枝くんはすこし考えてから「じゃあ訊かれたくないことだったら『パス』って

言うから、とりあえず訊いてよ、気になることは」とまじめな顔で言い、いちおう「オッケー」と答えはしたが、実際「パス」と言われたらその場では平静を装うけど夜ベッドに入ってから朝まで「なんであんなこと訊いてしもたんや……」と悩み続けるだろうなと思った。

「診察が終わったら、二階の調剤薬局の前の自動販売機でアイスを買う。それだけを楽しみに通ってる」

「へえ、アイスの自販機あるんや」

「そう。チョコミントといちごレアチーズで毎回悩む」

「アイスの話してたら食べたくなってきた」

「寄っていく?」

言いながら、道枝くんはもう階段をのぼりはじめていた。十数年この街に住んでいるのに、ぼくはこの建物の二階にあがったことがない。

自動販売機は十七種類のアイスが選べる、駅などでよく見かけるタイプのやつだった。通りかかるたびに母が「あれな、わたしが高校生の頃は百円やったんやで、百円」とどうでもいいことをしつこく主張するのでうっとうしい。小麦粉もバターも想像していたより高価だったので、アイスを買うと財布の中には千円札一枚きりになる。

「おれはチョコミントにする。今日はもう決めてる」

「え、待って待って待ってぼくにも考える時間ちょうだい」

言い合いながら階段をのぼっていく。自動販売機の手前に設置されたベンチに、子どもが俯き加減に座っていた。

「あかりちゃん」

うわあ大きくなったなあ、と思い、その感想はなんだかとてもおじさんじみているような気がして、ぎりぎりのところで飲みこんだ。それに、大粒の涙で頬を濡らしている女の子にかけるべきではない言葉だった。

「知ってる子？」

「隣の家の子」

ぼくが小学六年の時に一年生だったから、今は五年生のはずだ。一年生の終わりごろから三年生になる直前ぐらいまでの時期、夜うちで預かっていた。ぼくがではなく母が、だが。あかりちゃんのお父さんが残業で遅くなるとか、そういう日に。うちで宿題をして、うちでご飯を食べて、お父さんの帰りを待つ。あかりちゃんのお父さんがときどき「コンビニしか寄れなくてごめんね」なんて申し訳なさそうな顔をしつつ、アイスだとかスナック菓子だとかを買ってきてくれた。ふだんの母は遅い時間にそういうものを食べるといい顔をしなかったが、その時ばかりは例外で、ちょっとしたパーティーになった。

　べつに食べものにつられていたわけではなく、ぼくはあかりちゃんが家にいる日はちょっと楽しかった。妹ができたみたいで。ぼくの周囲の妹がいる同級生たちは妹について「うるさい」「うざい」「狂暴で乱暴」と言っていたが、あかりちゃんはぜんぜん違っていたし。

「どうしたん？」

　ふたたび顔を伏せてしまったので、しゃがみこんで訊ねた。

「お金」

　つかっちゃった、と消え入りそうな声で続ける。膝の上に置いたエコバッグから半分中身が露出していた。チョコレート菓子のパッケージを模したペンケースが付録としてついている雑誌、というかもしかしたらペンケースのほうがメインで雑誌が付録なのかもしれない、書店でよく見かける例のあれ、としか呼びようのないものを、彼女は購入し、そのためにお金が足りなくなって、夕飯のための買いものができずに途方にくれている、ということらしい。しゃくりあげながらぶつ切りに喋るので聞き取るのにずいぶん時間がかかったが。

「見せてもらってもいい？」

　あかりちゃんが差し出したペンケースを受け取る。ペンケースのファスナーの部分にはチョコレート菓子を模した飾りがついていた。かわいいね、と言ってみたが、反応はなかった。値段はまあ、これを買ったらたしかに夕飯代はなくなるやろうなあ、と納得できる金額ではある。

「レシート持ってる？　返品できるんちゃう？」

ぼくが言うと、あかりちゃんははげしく首を横に振った。涙の粒がはじけて散らばる。どうしてもこれを手に入れたいらしい。でも買いものもして帰らなあかんのやろ、と確認すると、今度は首を縦に振る。やっぱり涙の粒が散る。弱り切って振り返ると、道枝くんが微笑んでいるような困っているような顔で、ぼくを見ていた。

あかりちゃんのお母さんの病気がわかったのは、あかりちゃんが小学校に入学するすこし前だったという。母は、若いから病気の進行がはやかったのだろう、と言っていた。斎場でおこなわれたお葬式には、母だけが参列した。帰宅してすぐに「自分より若い人が死ぬのって」と言いかけたきりなにも喋らなくなって、そのあと夜遅くまでひとりでお酒を飲んでいたことを覚えている。

あの後、泣いているあかりちゃんにほぼ全財産である千円を渡し、アイスは食べずにスーパーマーケットを出た。

「やさしいね、冬真は」

「あの子もいろいろ……いろいろあるから」

道枝くんはそれ以上質問しなかった。というより、パウンドケーキをつくる工程に夢中になって、あかりちゃんのことを忘れたんだろう。ぼくに向かって「混ぜすぎ！　混ぜすぎ！」「粉をふるう時はもっと丁寧に！」と熱血コーチみたいな声を発し、居間のソファーに寝ていた弓歌さんに「うるさい」と叱られていた。

　弓歌さんは近頃あまり調子がよくないらしい。立ち上がることもできない日も、ずいぶん多くあるという。自分の部屋で寝たほうが静かでええんちゃう、と声をかけたら、無言で中指を立てられた。道枝くんがぼくに「人の気配のあるところで寝たいんだよ、さびしがりやだから」と耳打ちした。

　夕方、仕事から帰宅した母はぼくの顔を見るなり「今日、そうめんでええかな」とだるそうに言い放った。それぐらいしか食べられる気がしないという。ええよ、というぼくの返事を聞く前に、洗面所に消えていった。

　高らかな水の音を聞きながら冷蔵庫のドアを開ける。母の手洗いは念入りで、五分近くかかる。そうめんだけでも腹は膨れるだろうが、なんというかもうすこし食べごたえのあるものを食べたい。

「ぼく、卵焼いていい？」

「ええよ。あ、ハムとかもある」

洗面所で母が声を張り上げるが、冷蔵庫の中にそれらしきものは見当たらない。

「ないよ」

「あるって、冷蔵庫の中のどっかに」

いい加減な説明と、ドアが開きっぱなしであると警告する冷蔵庫のピー音が重なり、いらいらしてくる。ハムは結局、佃煮（つくだに）がはいった保存容器の後ろから見つかった。

「わ、なにこれ。つくったん?」

洗面所から戻った母が、ラップフィルムに包まれたパウンドケーキを見ている。テーブルの端に置いておいたのをめざとく見つけたようだ。

「うん。道枝くんと一緒に」

ひと晩おくから今日は食べられへんで、と念を押された後も、母はしばらくパウンドケーキを見つめていた。そうめんを茹（ゆ）でるあいだも、食べているあいだも何度かそちらに視線を送った。もしかして食べたいんかな、食いしん坊やな、と思っていたのだが「よかったな、なんか。いい友だちができて」と言われたので、そこでようやく自分の勘違いに気がついた。

「あんた小学生の頃、お菓子作りにはまった時期あったよね」

正確に言うと「はまっていた」というのとはすこし違う。小学生のある時期、クラスであるゲームが流行っていた。そのゲームをもとにしたアニメも。ぼくはそのゲームをやっていなかったから、話題に入れなかった。母に買ってくれと頼めば買ってくれたのだろうが、どうしてもそうしたいとは思わなかった。放課後に友だちと遊ぶことがなくなって、ひとりでもできることを模索した結果がお菓子作りをすること、だっただけだ。おやつも食べられるし一石二鳥やで、とかなんとか思っていたような気がする。

「プウンドケーキの作りかた」

「え、なに」

「その頃冬真がノートに、そう書いてたんよ。パウンドじゃなくてプウンド、って」

けっしてきれいとは言えない字で、びっしりとレシピを書き写していたのだそうだ。残念ながら、あるいは幸運なことに、そのことはよく覚えていない。

「アホやん」

母は笑いながら下を向いて「かわいかったで」と呟いた。

ひとりで過ごすことの多かった小学生時代でも、べつに仲間外れにされていたわけではない。中学でも高校でもずっとひとりぼっちだったとか、そういうわけではない。でも母の記憶の中には、ずっとその頃のぼくの姿が残っていたのかもしれない。


そうめんを啜(すす)りながら、ふとあかりちゃんのことを思い出した。夕飯の買いものはちゃんとできたのだろうか。

「今日、あかりちゃんに会(お)うたで」

泣いていたとか、買うべきではないものを買っていたとか、そんな話はしない。

「元気やった？　なにしてたん？」

「あー。スーパーにおった。買いものや。元気そうやったで」

あかりちゃんが四年生ぐらいになると、あかりちゃんのお父さんは彼女をうちに預けなくなった。「もう、自分でなんでもできるんです」とのことだった。掃除も洗濯も料理も、すべてできるのだと、誇(ほこ)らしげだった。

じつを言うとあかりちゃんに料理を教えたのはぼくの母だった。あかりちゃんに問われるまま、ひとつひとつ答えてあげていた。米のとぎかたとか卵のゆでかたとかといったことがらだけではなく、ぞうきんを洗って干してなんて手のかかることはせずにキッチンペーパーをばんばん使ったらええねんとか、少々の汚れは見て見ぬふりしたらええねんとか、まじめな人が聞いたら怒りそうなことも教えていた。そのすべてを踏襲しているとは思わないが、多少は影響を受けていることだろう。

「あかりちゃん、毎日お父さんのお弁当つくってるから」

「あかりちゃんに聞いたん？　それ」

「いや、吉良さんから」

　あかりちゃんのお父さんである吉良さんが「これ、ぼくのアカウント」と小鼻をぴくぴくさせながらＳＮＳを見せてくれたことがあった。町内会の夏祭りだかなんだかの時だったと思う。ちょうど母と吉良さんが役員をやっていて、でも母が急遽出勤しなくてはならなくなり、中学生のぼくが母のかわりに吉良さんとかき氷の出店を任されたことがあったのだ。

　吉良さんはふつうの会社員なのにフォロワーが一万人ぐらいいた。投稿はすべて「今日のお弁当の画像」で、「＃娘の手作り」「＃いつもありがとう」というようなハッシュタグで彩られている。

「えらいよな」と続けると、母の眉がびくりとつりあがる。

「えらい?」

亡くなったお母さんの代わりに、毎日のごはんを(くわえて、父親のお弁当まで)つくっている子どもは「えらい」としか言いようがない。ぼくの小学生当時のけなげレベルが五十だとしたら、あかりちゃんは百六十ぐらいだと思う。平均的な小学生ならたぶん十三ぐらい。

スマートフォンを取り、SNSの画面を開いて母に吉良さんの投稿を見せる。

「吉良保(たもつ)」と実名で運営しているアカウントは、以前よりさらにフォロワーが増えていた。ずらりと並んだお弁当の画像は壮観だ。もっともそこまで豪華でも手の込んだお弁当というわけではない。からあげと卵焼きとブロッコリーとプチトマト。ご飯はふりかけを振っただけ、みたいなお弁当がほとんどだ。でもこれを「小学生が」、「毎日」、「お父さんのために」作っていることを考えると、やはり並大抵のことではない。コメント欄(らん)にも「おいしそう! 娘ちゃんすごいです!」「卵焼き、きれいに焼けてますね」といった賞賛の言葉が並んでいる。

母は「えらい、えらい……ね」ともごもご言って席を立った。そのまま洗いものをはじめたので、ぼくも自分の部屋に引き上げた。なにか釈然とせぬものは残るが、しつこく訊ねたところで納得のいく答えは得られないのだろう、という気がした。

〈つづく〉

桜風堂夢ものがたり2 第六回

第一話

秋の旅人（中編）

村山早紀
Murayama Saki

台風接近に伴い、透の中学校では、授業が午前中までで終わり、給食の時間の後にはそれぞれ帰宅することになった。

街中では滅多にないような嵐の荒れ狂いっぷりに、子どもたちは、きゃーきゃーと楽しげな悲鳴を上げ、校舎の玄関をくぐり、帰って行く。吹きすぎる風に傘がひっくり返っても、制服がびっしょり濡れて、髪が顔に貼りついても、楽しくなってしまうのがこの年頃だ。生徒たちを見送る教師たちは、時に叱り、時にやれやれと苦笑しながら、子どもたちを見送っていた。

そんな中で、帰るに帰れなくなったのが、透たち、山の上から通っている、三人の子どもたちだった。桜野町や、近隣の町から通っている中学生は、いまは透たち同学年の三人だけだったのだ。

すぐにも帰りたい気持ちはあったけれど、町営のマイクロバスの便数は限られていて、夕方にならないと学校のそばのバス停まで来てくれない。

担任の先生に相談して、とりあえずは夕方まで学校に残る許可をもらった。一階にある図書館の鍵を開けてもらって、バスが来る時間まで、ここで過ごしなさい、といわれた。

みんな帰ってしまって、しんとした校舎にいると、嵐が窓を揺さぶる音が、からだに響くようで、透は怖かった。

三人だけで図書館にいると、古い本が並べられた空間が、いつもよりさらに広く、静かに感じられて、それも怖かった。遠く近くで響く風の音と、叩きつけるような雨の音が、校舎ごと自分たちを揺さぶるようで、恐ろしい。

この中学校の図書館は、二階建てになっていて、とても広かった。歴史がある中学校で、図書館も古いと聞いたことがある。ただ、あまり手入れされていないのか、古い本が、凍てついた氷か化石のように、棚にぎっしりと詰まっていて、その雰囲気もどこか不気味に、よそよそしく思えたのかも知れない。

本が好きな透でも、この図書館はちょっと苦手で、あまりのぞいたことがなかった。常駐している司書さんがいないせいか、扉が開いていないことが多かったから、ということもある。

どれだけたくさん本が並んでいても、ここにある本は死んでいるか、眠っているようで、桜風堂書店に並んでいる本たちのように、生き生きとした、話しかけてくる感じはしなかった。

（いくら本が好きでも、この図書館にいるのは、息が詰まるんだよね）

友人ふたりも透と変わらず本が好きだけれど、そのぶん、たぶん同意見だろうと思う。

スマートフォンで調べた感じでは、台風はこの午後から夕方にかけてがいちばん吹き荒れるようだった。当初の想定より速度が上がり、勢力が弱まったそうで、一気に駆け抜けてはくれるようだ。

透たちが帰るとするならば、町営マイクロバスの夜の便、街で働いているおとなたちの帰宅と一緒になりそうだった。

（帰る頃には真っ暗だろうけど、おとなと一緒なのは安心な気がするな。町内の、顔馴染みのひとたちがほとんどだろうし）

夕方まで、ゆっくりバスを待てば良いのだ、と思っていても、心の奥がびくついている。

慎重で心配性な透としては、吹き荒れるこの雨風で、道路が通行止めになったりして、せっかくバスが走れる時間になっても、町まで帰れなくなるんじゃないかな、なんていう風に、ついそんな情景を想像してしまうのだ。

いつも、いちばん悪い未来を想像する癖があった。母さんにはそれでいつも、

「透は想像力がありすぎるのよ」

なんて笑われてきたけれど。

（だけど、悪いことが起きる可能性について、先に考えておくと、その悪いことは起きないような気がするところもあるんだよね）

ジンクスかも知れない。だから透は、いつも、悪い可能性について、ひととおり想像して、心の準備をしておくようにしている。

（何事もなければそれでいいんだし）

人生では、いつだって、いちばん悪いことも、逆にいちばんいいことも、想像していないことが、思わぬタイミングで起きるような気がする。

神様なんてものがもしいるとしたら、人間をびっくりさせるのが好きなんだろう、と透は思っている。ちょっと意地悪な——でなかったら腕が良い、売れっ子の作家みたいだ。

「このまま何時間も学校で時間を潰すのも何だし、タクシーで帰る？」

縮れた前髪をかき上げながら、音哉が訊いてきた。

楓太が首を横に振りながら、両手を広げる。

「とんでもないよ、割り勘にしたって、高いじゃん」

「乗るなら、俺が全額出すから気にしないでいいよ」

音哉は著名な音楽家一家の末っ子で、都会で暮らしていた子どもの頃から、タクシーには乗り慣れているようだった。ひとりで遅い時間にレッスンに通ったりしていたらしい。

だから桜野町に来てからも、昔の暮らしの延長線のような感じで、気軽にタクシーを呼んだり、乗ったりすることがあった。そもそもお金持ちの子なので、透たちとは親子ともに、金銭感覚が違うところもある。でもそれに嫌みなところはまるでないので、透も楓太も、こいつはそういう奴なのだと自然に思って、つきあっていた。

透は一瞬、山の上までタクシーで帰るというその提案に乗りたいような気持ちになったけれど、いやいや、と思い直した。

「いまいちばん雨風の強いときだし、タクシーで山道を行くのも危ない気がするよ。あと少しで一応は台風が通り過ぎるってわかってるんだし、もう少し様子を見ようよ」

「うーん、それもそうか」

音哉が長い指先で、頬の辺りを掻いた。「たしかにプロの運転手だって、嵐の中を突っ切って、山道を走るのは嫌だろうしなあ」

横で楓太がうなずいた。

「タクシーが汚れるのも可哀想だよ。傷がついたりするかも知れないし。いいじゃん、図書館で暇つぶししていようよ。っていうか、俺、ちょうど調べ物があったんだ。ラッキーじゃん」

楓太は手を打つと、急に目を輝かせた。魚が泳いでゆくように、本棚の間に潜り込んでゆく。

「新作の動画のネタにいいかな、って、閃いたテーマがあるんだよ。この図書館なら、資料があるんじゃないかって、いま、ぴーんと閃いちゃったぜ」

「おいおい」と、音哉が呆れたようにいった。

「この図書館、古い本しかないぞ。調べるって何を調べるんだ？　ネットの方がいいんじゃない？」

「――古くて、良いんだよ。むしろ、こういう感じで大正解。父さんに頼んで、古本で探そうかと思ってたくらいだから」

どこかの棚の陰から、楓太の声がする。

「だって、調べたいのは昔の話だもん。日本昔話くらい、ずーっと昔の桜野町の話」

　地元の噂話の本とか、民俗学関係の同人誌とか、大学の論文をまとめたものとか、そういうのを探せば良いのかな、と、呟く声が、本棚の奥の方へと遠ざかってゆく。ここにあるかどうかわからないけど、と。

　音哉が、その後ろ姿を追うように、声をかけた。

「そっか。それくらい古くて、かつローカルな話題だと、ネットの空白地帯みたいになってて、意外と探しづらいんだよな。電子書籍やインターネットが登場する前だから、紙の本や小冊子にしか情報がなくて、紙の本が消えたら、情報もまるっと消えちゃったりするんだよ。ネットの海のどこにもバックアップがないしね」

　ということは、あの狐の娘のお話くらいに昔の話なのだろうか。透は、ふたりの会話に耳をそばだてる。

「うち、けっこういろんなひとが出入りしてるじゃない？　父さん、友達多いしさ。仕事は何でも屋みたいなものだし。で、俺、最近、うちに来るひと達に、動画のネタになりそうな話がないか、取材するのに凝ってるんだよね。で、ひとつ、これはどうかな、と思ったのが、拝み屋のおばあちゃんから聞いた話なんだ」

　楓太の家は、都会からの移住者で、可愛らしいペンションを経営するのが本業のはずだったのだけれど、それがいまひとつ軌道に乗らず、楓太のお父さん――林田さんは、前職であるデザイン関係の技術と知識を生かして、およそデザインが必要な仕事を、一手に引き受けるようになっていた。それで、林田さんが来て以来、桜野町のいろんなものはお洒落になったといわれているのだけれど、林田さんはデザイナーだけで終わるには器用すぎ、面倒見が良すぎたのか、いまでは、何でも屋さんのようなことまで仕事にするようになっていた。もともと物知りで、大抵のことは知っているし、できてしまうし、わからないことがあればネットで調べてくれるので、ほんとうに便利だと大好評なのだった。デザイン業と同じくらい、比重が大きい仕事がネットを使った古書店で、活字マニアだということもあって、いまでは知る人ぞ知るような有名なオンライン古書店主になっているらしい。

開店休業状態のペンションのロビーには、林田さんが趣味で集めた本がたくさん並んでいる。元は図書館のように本がたくさんあることをコンセプトにした、時代を先取りしたようなペンションだったのだ。

自由に読めるその本を目当てに、桜野町の暇を持て余したお年寄りたちが、ロビーのソファに楽しげに座っていることが多い。いろんな話に花が咲いたりとか。もちろん、その合間に林田さんにいろんな仕事を頼むのだけれど。それを林田さんも、「うちもさ、なにしろ開店休業状態だからさ、ひとの気配がある方が良いんで」と、邪険にせずに歓迎するので、いよいよペンションはやしだは賑わいを見せていた。——本業で賑わっているわけではない、という辺りだけが、ちょっとだけ寂しいところなのかも知れないけれど。

「妙音岳の湖に、昔、竜が棲んでいたって伝説があるじゃない？　その竜が——びっくりしないでくれよ——なんとなんと、今年辺り、復活するっていいつたえがあるんだってさ」

　外を吹きすぎる風が、そのときひときわ強く吹きすぎて、図書館の窓ガラスが、外から摑んで揺らしたように、突然、大きな音を立てて揺れた。

　三人の子どもは、一瞬ぎょっとして、それぞれに顔を見合わせた。

　息をついた音哉が、笑いながら訊ねた。

「なんだよ、それ。ゲームの世界みたいな話だな。桜野町、そんな伝説があるんだ？」

「あるんだぜ」少し震えた声で、楓太が答える。「動画のタイトル、『蘇る伝説の暗黒竜を秘境の町に見た』とかどうかな？」

「秘境の町っていういい方はどうかと思うな」

　隣で、透は笑った。——まだ少し、胸がどきどきしていた。胸を押さえながら、音哉を向き直り、

「昔々、それこそ、日本昔話みたいに昔に——でもないのかな、明治時代くらいだってぼくは聞いたけど、里を滅ぼそうとした悪い竜を、狐の娘が、山の神様たちにお願いして、湖に封印してもらったって伝説があるんだよ。

　楓太くん、もしかしなくても、復活するって、その湖の竜が復活するっていう伝説があるっていうことなの？」

「うん。まさにそれ。そのお話の続きさ」

　楓太がうなずいた。「どきどきするよね。映画の続編ができるみたいな感じで」

　続きがあるというならば、透は、狐の娘が竜を封印したところまでしか、その伝説を知らない。霊力を使い果たして、二度と人間に戻れなくなった優しい娘が、恋人だった若者と別れて、山に帰っていった——透の知っている昔話はそこで終わっている。

　その先があったんだろうか？

（拝み屋のおばあちゃんというと……）

　昔から町の離れにひとりで住んでいる、しわしわの顔に小さい背丈の、ちょっと不思議な感じのおばあちゃんだ。皺(しわ)に埋もれたような小さな黒い目は澄んでいて、口元はいつもにこにこ笑っている。

　天気が良いときは小さな畑の世話をしたり、洗濯物を干したりしている。季節によっては、大根や、柿を干していることも。

夏には庭の井戸で水を汲んで、採れた野菜を冷やしたりしていて、透も通りすがりに美味しいトマトをもらったことがある。

赤ちゃんや子どもが大好きで、いつでもその味方。泣き止まない子どもがいると、いつの間にかそばに来て、おでこのあたりをなでてくれる。するとどんなに激しく泣いていた子どもでも、たちまちすうっと機嫌が直る、という、どこか謎めいたおばあちゃんだった。

透自身も、桜野町に来たばかりの小学生の頃は、寂しい気分になって歩いていると、いつの間にかおばあちゃんがそばにいて、呼ばれるままに、古い家でかりんとうと熱いお茶を出してもらったり、炬燵で温まって、一緒にお相撲を見たりしているうちに、不思議と元気になっていたりしたものだった。

いつもにこにこしているけれど、そこは拝み屋さん。先祖代々、失せ物探しが得意だったり、よく当たる占いをしたり、悪霊を祓ったり、子どもに良い名前をつけたりする一族のひとだといわれてもいた。それでみんなに当てにされたり、尊敬されてもいたり。

桜野町は昔から、居場所をなくした旅人たちを休ませ、迎え入れてきた歴史のあるところ。いろんな神様や、神様を祭るひとびとも、仲間に組み込んできたところで、拝み屋のおばあちゃんも、何の神様とも知れない、真っ黒になった木彫りの神様の像を小さな箱に入れて、拝んでいるという噂だった。

　音哉が目を輝かせて、「なあちょっと」と、楓太に尋ねる。

　作家志望で、それもミステリやホラーを書きたい音哉なので、こんな話を聞き逃すはずもないのだった。

「それでその、復活の竜は、いつどこに、どんなタイミングで出てくるんだよ？　やっぱり、町を滅ぼしに来ちゃったりするわけ？　ちょっとドラマチックだね。ぞくぞくして、わくわくするなあ」

　完全に映画の話か何かとごっちゃにしている。ゴジラとかそんなイメージのようだ。

　透はつい笑ってしまう。令和のいまに、伝説の竜が復活するなんて、もちろん、ほんとかどうかわからない――というか、そんなのありえない――けど、もし、この話がほんとうだったりしても、音哉は、自分は絶対死なないと思ってるんだろうな。ほんとうだったらいいって思ってるみたいだけど。

（リアリティのない話だけどね）

　少なくとも、大昔に狐の娘の願いによって封印された竜がいたらしい、なんて話からして、日本昔話そのもののお伽話（とぎばなし）なんだから。透は大好きな、すごく素敵なお話だけど。

もし、その湖の竜が復活するという話がほんとうなら、翻って、湖に竜が封印されたという話からして、実話だということになってしまう。つまりは、狐の娘と木地師の若者の恋の伝説も、実話でした、ほんとうにあったお話なんです、ということになるような……。

図書館の本の背表紙を眺め、たまに指先で引き出し、また棚に戻しつつ、あれでもないこれでもないと呟きながら、楓太が答える。

「おばあちゃんがいうには、まあとにかく復活が今年なのは間違いないんだって。ただ、それがいつなのか、そこまでは定かじゃない。なにしろ、ずうっと昔の話だからだって。でも秋か冬かな、って勘が働くんだってさ。

その話を、こないだ、うちのペンションのロビーで聞いてたとき、一緒にいた町内のじいさまばあさまたちも、うんうんって、驚きもせずにふつうにうなずいてたから、どうやら、桜野町では知るひとぞ知る、とか、半分常識みたいな伝説なんじゃないのかな?」

「へー。かっこいい。最高じゃん」

音哉がいよいよ嬉しそうに身を乗り出す。

透は、つい、楓太に訊いてしまう。

「あのさ、もし竜が復活するとしてだよ。何のためにいまになって復活してくるのかな？　その、ほんとに町を襲うため？　怪獣映画みたいに。あと、復活したとして、ぼくらはそれをどうしたらいいの？」

吹き荒れる嵐の中、いまは風がひときわ強い。轟々と鳴る。窓の外は薄暗く、天井の蛍光灯がついていても、そこはかとなく薄暗い。そんな中でまるで怪獣映画の台詞のような会話をしていると、ときどき声が風音にかき消されそうだった。

竜が怒って空を駆けているような、そんな音だと透は思った。ひとけのない校舎の、透たちの他には誰もいない図書館で、こんな話をしていると、どんどん現実から遠ざかっていくような気がした。

まわりにたくさんある古い本の、そのページの合間に、吸い込まれていきそうな気がする。この世界から遠ざかっていってしまいそうな。

「拝み屋のおばあちゃんがいうには――」

本や小冊子を何冊か抱えて、楓太が本棚の間から姿を現した。「昔々、嵐を呼んで桜野町――じゃなかった、その頃は桜の里か、を滅ぼそうとした竜神がいたらしい。竜神は人間が嫌いで、もうこいつらはだめだって絶望してて、いっそ滅ぼした方が山のためになるって思ったんだってさ。よく漫画なんかで出てくる悪役の理屈っていうか、魔王の考え方？　そんな感じだよね。けれど、里の若者が大好きだった狐の娘が、妙音山の六柱の神々に、里をお守りくださいって、命をかけてお願いしたんだって。六柱というのは――ええと、つまり山の神様は全部で七柱いたんだ。で、竜神以外の残り六柱の神々は、人間が好きだったり、いまは未熟でも未来に期待しようとか思ってたり、いくらなんでも里を滅ぼすとはあんまりだとか竜神にひいちゃったりしてさ。娘の願いに応えて、みんなの力をあわせて、竜神を棲んでいた湖に封印したんだってさ。

ところが……」

「ところが？」

音哉と透は訊き返した。

「そこは竜神も神様だし、永遠に封印するということまではできなかった。百五十年後の未来に、目が覚め、復活するのは止められないってことになったんだって。で、その百五十年後が、じゃじゃん、まさに今年だったというわけ」

それでね、と楓太がなぜか声を潜める。

「竜神は今度こそ、里の人間たち――ああ、つまり子孫である桜野町の俺らのことね――を、滅ぼしさろうとするだろうから、百五十年後の未来の人間たちがなんとかしなさい、と六柱の神様たちは、当時の里のひとたちにいったんだって」

「なんとかって、どういうことだよ？」

音哉が訊き返す。

「えっとね。六柱の神様たちは、百五十年後の世界——つまり、いまの世界ではもう神様の力を失ってるんだってさ。隠居しちゃってるとかそういう感じらしい。拝み屋のおばあちゃんの説明によると、つまり、時代が現代に近づくにつれ、人間は神様を拝まなくなったじゃない？　神話とか民話の時代ほどはさ。で、ひとに信じられることが力になる神様たちの姿は、年々薄くなっていって、その力もなくなっていって、いまじゃ、存在してるのがやっとみたいな感じになってるらしいんだ。おまけに野山が開発されて、荒れてしまっているじゃない？　そんなのも、神様の力を減らしていくことになるんだって。それで、いまの時代の山の神様たちは、それぞれ山奥とか祠の中とかに、ひっこんじゃってるんだって。自分たちがそうなる未来が見えていたから、神様たちは、未来はおまえたちで頑張れ、自分たちはもう当てにならないからって言葉を残していたんだってさ」

「えー」

透は思わず、音哉とともに声を上げる。

音哉は首を振って、腕組みをした。

「おまえたちで頑張れっていわれても、相手は百五十年前には、神様が六人がかりで封印したような、悪の竜神様、恐怖のドラゴンな訳だろう？　それを人間たちだけでどうにかしろったって、無理なんじゃないか、それは」

「だよね」

楓太はなぜか嬉しそうに、うんうんとうなずく。「絶体絶命の危機だよね。——だからさ、動画も絶対、受けるよね。どれくらい人気になるかなあ。全三回くらいにわけようか？　登録者数とフォロワーさん、いっぱい増えるかなあ？」

「——暢気だなあ」

透はつい、呟いてしまう。——ふたりとも、伝説を面白がって、信じようとしている割に、やっぱり、自分たちにも知っている誰にも、ほんとうには被害はないと信じているような気がする。

（変なの）

現代日本に竜神が復活なんてあるわけがない、と思いながら、両方の腕が寒気で冷え、震えが来た。

薄暗い図書館の本棚の陰に、何やら恐ろしい気配が漂っているような気がした。風でがたがた揺れる暗い窓の外には、雨雲に紛れ、ひとを憎む竜神の姿が、ぼんやりと漂っているような気がする。窓から大きな目が覗き込もうとするような。

（今日の天気が悪いんだ）

自分に言いきかせる。

そんなお伽話のようなことが、この世界にあるはずがない。

楓太が、のほほんとした表情でいった。

「おばあちゃんも暢気だったよ。大丈夫なんだってさ。怖いことは何も起こらないからって」

「——大丈夫、って？」

にっこりと楓太は笑う。

「たとえ、今年、百五十年後の世界に、ひとを憎む竜神が復活しても、きっと里は——桜野町は守られるから、安心していて良いそうだよ」

「守られる……」

「うちの町は、昔から、いろんなものに守られている町だから、何の心配もいらないんだって。でも、竜神は復活するから、気をつけていないとね、っていわれた」

「——うーん……」

透は思わず、口ごもる。

そんな怖い竜が復活するけど、きっと大丈夫だ、だけど気をつけてね、って、何をどう気をつけていれば良いんだろう？

拝み屋のおばあちゃんの、ちょっと不思議な笑顔を思い出す。あのおばあちゃんなら、そんな話をにこにこしながらいいそうだな、と、透は思った。

「――そういう訳で、たとえ竜が復活してきても大丈夫らしいんだから、新作の動画、『蘇る伝説の暗黒竜を秘境の町に見た』を安心して作ろうじゃないか、きみたち」

楓太がそういって、透と音哉の肩を叩いた。

「だから、秘境の町はやめようって。桜野町のイメージが違ってきちゃうよ」

「謎めいていて良いじゃん」

楓太が口を尖（とが）らせる。横で、音哉が、

「いや、俺はもうテーマソングのフレーズが浮かんできたぞ。殺人事件が起きそうな、いかにもなタイトルで、いいじゃないか？」

「良くないよ。サスペンス劇場じゃないんだから」

透がいいかえした、そのときだった。

静かに扉が開く音がして、ふわりと風が吹き込むように、あの長い髪の転校生、葛葉（くずは）千晶（ちあき）が図書館に入ってきた。

透の視線に気づくと、

「――先生に、夕方になるまでここにいなさいっていわれたから」

言い訳するように一言いって、透のそばを通り過ぎ、本棚の方へと足を進めた。

金色に近いほど淡い色の髪が、つややかに背中に流れる。

通り過ぎるときに、ちらりと楓太の方をみたような気がした。——一瞬、あ、この子はいまの話を聞いていたのかな、と、透は思った。いったいどう思っただろう？

(あれ、ということは、この子もどこか遠くに住んでるのかな)

台風が去る夕方まで、帰れないようなところに。

透たちのように、ひとりですぐには帰れないところに住んでいるのだろうかと思った。

転校してきたばかりで、こんな台風に遭遇するなんて、可哀想だなあ、と思っていたとき、

「——ちょっとその美少女、誰よ？」

音哉が、そっと近づいてきて、透の耳元でささやいた。隣では楓太も、興味津々、という感じで目をきらきら輝かせている。

「——うちのクラスの転校生だよ」

なんだか不思議な感じの子、という一言は、口の中でもごもごいうだけにしておいた。

いままで友達三人だけで、盛り上がっていたところに、女の子がひとり加わった

だけで、部屋の空気が違ってきたような気がして、透たちは――楓太までもが、口をつぐみ、それぞれに、図書館の中で時を過ごした。

楓太は自習コーナーの席について、集めた本や小冊子の山を机に積み重ね、映画監督のような表情で、眉間に皺を寄せつつ、頁を開いたりし始めた。

音哉は、その様子を眺めつつ、足音を忍ばせて、図書館の中を歩いたりしていた。たまに宙を見上げて、首でリズムをとっているのは、テーマ曲の作曲でもしているのだろう。

透は、仕方なく、棚に並ぶ本の背表紙を眺め始めた。

（うわあ、ほんとのほんとに、昔の本ばかりだ）

本屋さんの家の子どもなので、いまどきの流行の本はわかっている。特にヤングアダルト――自分たちの世代が読みそうな、国内外の文芸の本のタイトルは知っている。一方で、亡くなったお父さんやおばあちゃんが児童書が好きだったので、昔のベストセラーやロングセラーの子どもの本にも詳しい。つまり、中学校の中にある図書館に並んでいそうな本の見当は、普通の中学生よりは、たぶんまあまあつくはずなのだけれど――。

（昭和の学校の図書館みたいだな）

どれだけの長い間、本の入れ替えをしていないのだろうと、目眩がした。

透は本屋さんで育った子どもで、図書館のことには詳しくないけれど、図書館の本棚は、特に小中学校のそれは、古い本は廃棄して、常に新しいものと入れ替えていかなければいけないところなのだと——そんな知識はあった。図書館の本棚も、本屋さんの本棚と同じ。置ける本の数には限りがあるので、新陳代謝は必要だし、未来を生きる子どもたちには（透たちのような）、新しい知識と情報が必要なのだ。図書館とは、物語の本だけでなく、ありとあらゆる知識が集められるところ。そこで、子どもたちが世界と出会い、知るところ。

（インターネットとどこか似てるよね）

そんな風に、透は思っている。

ただ、ネットの向こうの情報は、たくさんのひとびとの手によって、折々に更新されていくけれど、図書館の本たちは、誰かの——専門の司書さんたちの手がなければ、更新されることはまずないのだ。

ここにある本は、たぶん昭和の時間で止まっていた。誰の手にも入れ替えられないままに。

それでも、物語の本たちは、古くてもまだ許せるような気がする——。

透は渋い顔をしながらも、一冊の本に手を伸ばした。

『風の又三郎』

宮沢賢治全集の、綺麗な箱入りの本があった。昔の本は、特に上等に作られたものは、ほんとうに美しい。上製本で、こんな風に箱に入っていたりする。本によっては、箱から抜くと、ビニールのカバーまで掛かっていたり、中にはカラーの口絵があったり。スピンがつくのはあたりまえだ。

(昔の本は、大事に作られていたんだなあ)

大きな戦争があって、負けて終わって。

焼け野が原になったこの国では、みんなが新しい知識を情報を、物語や詩、哲学を求めた。これからの世界をどう捉えてゆくか、考えるための知恵を求めた。日常から失われた優しい世界や、幻想や、お伽話を求めた。

(昔は、本しかなかったから)

いまなら検索エンジンやＳＮＳで探すような情報も、覚えておくべき事柄も、すべては活字から得るしかなかった。

テレビの放送が始まる前、その受信機が普及する前の、映像はまだ一般のひと達のものではなかったような時代は特に、本は大切なものだったろう。

その想いが、この上等な作りになったのかも知れないな、と透は思う。

宮沢賢治は元々好きだった。だから目についた。全集が並んでいるうちで、『風の又三郎』に手が伸びたのは、頭のどこかに、不思議な転校生のことがあったからかも知れない。

そのとき、同じ本に伸びる手があった。

長く白い指の持ち主は、驚いたように、その指先を震わせた。

葛葉千晶だった。振り返るとすぐ近くに彼女の顔があったから、透は驚き、千晶も再度びっくりしたようだった。

透がそうだったように、本の背表紙に意識を集中していて、ひとの気配に気づかなかったのかも知れない。一瞬、見えなくなったのかも。

長い髪の転校生は、切れ長の美しい目を見開いて、すうっと手を引こうとした。

「——あ、いいよ。ごめん」

透は本から手を引いて、千晶に謝った。

「いやぼくはそんなに、この本を読みたいわけじゃないから。——ええとその、宮沢賢治は好きで、又三郎は暗記できるくらい読んでて——家にもあるからさ」

千晶は目をぱちぱちとまばたきしながら、透の話を聞いていたけれど、やがて、笑った。

「ありがとう」と、お礼をいって。

「でもわたしも、そんなにその本を読みたいわけじゃないの。わたしも宮沢賢治は好きで、それこそ、暗記してるくらい好きなのも一緒で。文庫本だけど、自分の本を持ってはいるし。

わあ、びっくりした」

と、制服の胸の辺りをなで下ろした。「今日はちょっと、風の又三郎みたいな気分になっただけ。台風の日に転校してきたからかな」

少しハスキーな声は、大人びていて、でも想像していたよりもずっと明るい声だと、透は思った。謎めいた、不思議な印象のせいか、こんなに笑顔で話す子だとは思わなかった。

千晶はにっこりと笑った。

「同じ年頃の子で、宮沢賢治が好きなひとってあんまりいないから、同志に巡り会えたみたいで、ちょっと嬉しいな」

「そう？」

「わたし、お父さんの仕事の関係で、いろんな街や国に行くんだけど、いままで出会ったことあるかな、ないかな、ってくらいの感じ」

「そこにいるぼくの友達ふたりも、宮沢賢治、好きだよ。星めぐりの歌とか、合唱できちゃうくらい」

透は、楓太と音哉の方に視線を向けた。

ふたりはさっきから、透と千晶の会話が気になっているようで、話に加わりたそうにしているのが、見るからによくわかった。

ふたりは照れたように、それぞれに気障（きざ）っぽく笑ったり、会釈（えしゃく）したりした。

「よろしく」と、千晶がふたりに手を振る。

そして、そっと透の耳元にささやいた。

「あなたと話してみたかったの。何か不思議な感じがする男の子だったから」

花のような香りの吐息が、耳元にかかった。

〈つづく〉

さよなら校長先生

7 スーツ　前編

瀧羽麻子
Takiwa Asako

パソコンを起動してメールの受信ボックスを開き、沙智はため息をついた。

画面に並んだタイトルのうち、中ほどの一通だけが目立っている。アルファベットの間に、所在なげに挟まっている漢字とひらがなまじりの一行は、西洋人ばかりが集まった部屋にひとりだけまぎれこんでしまったアジア人を思わせた。

高村正子先生を偲ぶ会について。

受信時刻は三時間あまり前、早朝の四時となっている。差出人は、彼の国で夜八時頃にこのメールを送信したという計算になる。この街と日本の時差は十六時間ある。十月に入って急に肌寒くなってきたものの、こちらはまだ夏時間だ。

その一通にカーソルを合わせ、えい、とクリックした。

朝っぱらから面倒くさいけれど、しかたがない。後回しにしてもますます億劫になるだけだ。仕事中にそわそわして気が散ってしまうのも困る。

画面が切り替わって、メールの本文が表示された。

日本語のメールは、おしなべて縦に長い。改行が多いせいだ。個人差はあるものの、一文ずつ、下手をすると一文の途中でも、やたらに行を変える。一行が長くなりすぎないようにするのが礼儀らしい。一方で英文の場合には、どんどん文章を連ねていって、話題が変わるときにだけ一行空けて段落をあらためるのが一般的だ。また、これも個人によって異なるが、総じて単刀直入に本題に入ろうとする。くどくどしい前置きや持って回った表現は敬遠されがちで、むやみに言葉数が増えてしまうことも少ない。そのへんは、もはや言語というより国民性の問題なのかもしれない。

いずれにしても、沙智は完全にこちらの作法に慣れてしまっている。こうして日本から届いたメールをたまに読むと、どうにも違和感が拭えないのはそのせいだろう。いちいち念を押されているような、顔色をうかがわれているような、まだるっこしい気分になってくる。

ただし、日本人にも例外はいる。電子メールにあまり慣れていない年配の世代は、手紙やはがきのような感覚で書くからか、どちらかといえば改行が少なめだ。沙智の父や母がまさにそうだった。

そもそも、両親ともに、メールという通信手段そのものを好まなかった。なにか用事があれば、電話をかけてきた。せいぜい年に一度、多くても二度くらいだった。それ以外には特段の用がなかったともいえる。頻繁に連絡をとりあい、どうということのない近況を伝えあうような親子ではなかった。

お世話になっております、とこれも日本ふうの形式的な書き出しで、メールははじまっていた。

その後、お変わりありませんか。
おかげさまで、会の案内状を無事に発送できました。
お忙しい中ご協力いただき、誠にありがとうございました。

ぶつぶつと一行ずつ繰り出される慇懃な謝礼に、ちょっと居心地が悪くなる。協力といえるほどの協力はしていない。沙智のしたことといえば、たったのふたつだった。ひとつめは、有志でお別れの会を催したいという打診を承諾したこと。もうひとつは、その会の開催を知らせるために、母と縁のあった人々の連絡先を教えたことである。

その連絡先も、沙智が調べたりまとめたりしたわけではなかった。自分の身になにかあったときの段取りを、母は周到に準備していた。喪中はがきを送るべきリストも、あらかじめ用意されていた。沙智はそのメモを写真に撮り、画像をメールに添付して先方に送るだけでよかった。

母の作ったリストは他にもあった。葬儀の手順について、遺品の整理について、沙智は母の書き残したとおりに粛々と事を進めた。娘に手間をかけさせまいという心遣いか、あるいは、なるべく頼るまいという意地だったのか。今となっては、確かめようもない。真意はどうあれ、最後の最後までなにもかも自分で決めなければ気がすまないとは、いかにも母らしかった。

それでこそ母だ。いつも思うことを思いながら次の一文を読んで、沙智は身構えた。

さて、偲ぶ会の開催にあたりまして、もう一点お願いしたいことがございます。

ふだんどおりの時間に、夫と連れだって家を出た。

バス停まで歩いている途中でたずねられ、ぎくりとした。

「元気ないね。寝不足？」

「え？　そう？」

とりあえず聞き返してみる。夫は身長が二メートル近くあり、目を合わせるには首をそらして見上げる格好になる。

夫がさっと片手を上げて、指先を眉の間にあてがってみせた。

ああ、と沙智は声をもらし、自分も眉間に手をやった。指の関節をあてて、ぐるぐると円を描くようにもみほぐす。

考えごとに気をとられていると、知らず知らずのうちに眉根が寄ってしまうのは、昔からの癖だった。若いうちはなんら問題なかったのだけれど、四十路(よそじ)を過ぎ、うっすらとしわが刻まれてしまっているのを発見したときには衝撃を受けた。気づいたら注意してねと夫に頼んで以来、律儀に声をかけてくれるようになった。

「今日は忙しくなるかなと思って」

沙智がごまかすと、夫はのんびりとうなずいた。

「土曜だからね」

沙智は夫のこういうところが好きだ。深読みせず、詮索(せんさく)せず、万事をおおらかに受けとめる。

「あ、来た」

道の先から走ってくる路線バスが目に入り、夫婦そろって足を速めた。この国のバスには時刻表がない。もしかしたら存在はするのかもしれないが、運転手も客も、つまり誰も気にしていない。

停留所に先客がいたおかげで、ぎりぎりまにあった。運転手に挨拶して乗りこむ。郊外とダウンタウンを結ぶこの路線は、平日には通勤客でそこそこ混みあっているけれど、今朝はがらがらだ。道路も空いている。みごとに紅葉した街路樹の間をバスはすいすいと走り、二十分もかからずに市街の中心に到着した。

バスを降りると、道を挟んで反対側に建つ教会の広場で、土曜日恒例の朝市が開かれていた。大にぎわいを横目に、石畳の大通りから枝分かれした路地へ足を踏み入れる。狭い道の奥に重厚な石造りの建物が見えてきて、気持ちが少し落ち着いた。

沙智と夫がここにカフェを開いたのは、十年前のことだ。開店当初から、夫婦ふたりで切り回している。

「カフェ？」

店をはじめたと報告したとき、母はぽかんとして言った。

「あなたが？」

両目をぎゅっと細めて、まじまじと沙智の顔を見つめた。娘がいったいなにを企（たくら）んでいるのか、心の底まで見通してやろうとでもいうふうに。

それとも単に、あっけにとられていただけだったのだろうか。実家にいたときは料理ひとつできなかったくせに飲食店を経営しようだなんて、とか。もしくは、そんなに不愛想で接客業がつとまるのか、とか。

母にあきれられたとしても、いぶかしまれたとしても、沙智は別段かまわなかった。さも想定どおりだといわんばかりに、「そうすると思った」と訳知り顔でうなずかれさえしなければ。

母の予想を——あるいは期待を——裏切りながら、沙智はこれまで一歩ずつ着実に進んできたのだった。まずカナダに留学し、次に永住権を手に入れ、しまいにはカナダ人と結婚した。

十時の開店に向けて、夫と協力して準備にとりかかる。

フロアには大小のテーブルを五つ配し、カウンター席もある。夜八時までの通し営業で、飲みものと軽めの食事も出している。日中はコーヒーやランチめあての客が主で、午後遅くなるにつれて、酒の注文もぽつぽつと入り出す。

夫が厨房、沙智は接客を担当するという役割分担に一応なってはいるものの、わりと臨機応変にやっている。夫がカウンター越しに注文をとることもあるし、マフィンやクッキー、デザートのケーキなんかも沙智が焼いている。唯一コーヒーだけは夫の聖域で、沙智に作りかけの料理を任せてでも、手ずから一杯ずつ淹れる。

ここはもともと、こぢんまりとした昔ながらの食堂だった。老齢の店主が引退することになって、沙智たちが居抜きで引き継いだのだ。

年季の入った内装は、戦後まもない創業時からほとんど変わっていないという話だった。独特の風情は残しつつ、この十年で、修繕も兼ねて少しずつ手を入れてきた。壁を玉子色に塗り、骨董市で調達した絵や置きものを飾り、厨房の設備も古いものから順に入れ替えていった。今では、沙智と夫の趣味が店内の隅々まで反映され、使い勝手も居心地も抜群にいい。夫婦で育ててきた店に、年々愛着は増している。すてきな雰囲気だと客から褒められたり写真を撮られたりするたび、ひそかに鼻が高い。

十時きっかりに、沙智は入口のドアを開け放った。ほぼ同時に、本日最初の客がやってくる。

土曜の朝に、決まって来店する老紳士だ。華美ではないが品のいい身なりで、季節に合った素材とデザインの帽子を必ずかぶっている。奥の小さなテーブルを選び、壁を背にして座るのも、いつものとおりだった。彼は常にひとりで現れ、注文以外には口を利かず、時間をかけてコーヒーを飲みつつ、持参した新聞を読む。家族がいるのかも、どんな仕事をしているのかも、見当がつかない。

彼に限らず、客の詳しい素性を沙智が知る機会はめったにない。

この店でだけ、ほんのつかのま、顔を合わせる。姿を見せなくなれば、消息はわからずじまいになる。一見(いちげん)の客は言うまでもなく、長年にわたって通ってくれていた常連でも、いつのまにかふっつりと見かけなくなってしまうことは珍しくなかった。その理由を沙智たちが知るすべは、ないに等しい。うちの店に飽きたのかもしれない。他にもっと気に入ったカフェを見つけて、鞍替(くらが)えしたのかもしれない。遠くに引っ越したのかもしれない。体調をくずして出歩けなくなっているのかもしれない。

あるいは、亡くなったのかもしれない。

ひょっとして、母にもそんな行きつけの店があったのだろうか。日々の雑事をひとまず棚上げにして、一杯のコーヒーを味わうひとときが。

考えたそばから、ないな、と沙智は自答する。実家の近所に喫茶店はいくつかあったけれど、そこでのんびりと時を過ごす母の姿はまるで想像できない。ゆったりお茶を飲んでいるようなひまがあったら、その時間を仕事なり家事なりにあてようとするはずだ。そういうひとだった。

しかし喫茶店の店主でなくとも、母の急死を知ったら驚くひとはある程度いるだろう。心を痛めるひとも、おそらくは。

母の葬儀は身内のみで簡素に行い、友人知人には事後報告ですませた。沙智が決めたわけではなく、あくまで故人の意向に従ってそうしたのだが、納得していない人々もいるに違いない。仕事柄、母は尋常でなく顔が広かった。大勢の教え子や同僚から慕われ、退職後も交流は続いていた。

だから、偲ぶ会が開かれることになったのだ。

発起人は、母がかつて校長として赴任していた小学校の、現校長である。母よりひと回り以上も若いものの、新任教師時代から懇意にしていたそうだ。

母は喪中はがきの宛先とは別に、葬儀を終えしだい早めに一報を入れるべき数人の名前を挙げていて、この大沢校長もそこに含まれていた。電話で母の死を伝えたら、泣かれてしまった。

葬儀が終わってしまったと知るやいなや、大沢は送別会を企画し、着々と準備を進めている。この行動力からして、母と気が合ったというのもうなずけた。実務面は、大沢の学校に勤める教職員が手分けしてあたっているようだ。沙智との窓口となっている小田という男性教師も、そのうちのひとりである。

今朝のメールも小田から送られてきた。先月の初旬から、これで三通目になる。

初回のメールには、高村校長には第三小の教育実習で大変お世話になりました、と書いてあった。母が校長職についていた時期に大学生だったということは、おそらく沙智と同年代のはずだけれど、形式ばった文体からはもっと年上のような印象も受ける。教師というのは、書く文章まで堅苦しくなるものなんだろうか。

　会の開催についてのおおまかな構想を説明した上で、遺族の了承を得たいと小田は綴っていた。どうぞご自由に、と沙智が返信したところ、これまた丁重な謝礼とともに、さらに具体的な企画書を添付した二通目が送られてきた。

　十一月末の日曜日、小学校の体育館が会場となる。献花台を用意して、誰でも自由に立ち寄れるようにするほか、午前中にちょっとした式典も予定されている。校区内に住んでいる卒業生にも、なんらかのかたちで周知したいという。

　沙智の返信は、前回とそっくり同じだった。どうぞ、ご自由に。準備も当日の運営進行も先方に一任し、沙智は一切関与していない。会場で挨拶してもらえないかと頼まれたのも、謹んでお断りした。挨拶どころか、はなから出席するつもりもなかった。海外に住んでいると、こういうときに便利だ。遠いと理由をつければ、角が立たない。

　小田はおとなしくひきさがり、沙智は肩の荷を下ろしたつもりでいた。これでもう、義務は果たしたと思っていたのだが。

　開店早々から昼さがりまで客足はとぎれず、沙智はテーブルからテーブルへとあわただしく飛び回った。

店の客層は、平日と週末でやや異なる。平日は、勤め人と思しきひとり客が目立つが、土日はカップルや親子連れでテーブルが埋まっていく。

特にランチタイムの前後は、たいがい満席になる。にぎやかに会話がはずみ、コーヒーのおかわりやデザートの追加注文をしながら、比較的長居する客が多い。食事とあわせてビールやワインの売れゆきも伸び、客単価が上がるのはありがたい。それに、客の酔いかげんとチップの額には、無視できない相関がある。

一息ついたときには、二時を回っていた。潮がひくように、テーブルがひとつ、またひとつと空いていく。

最後まで残った老夫婦のテーブルに食後のコーヒーを運び、カウンターの客は夫に任せて休憩をとろうかと沙智が考えていた矢先、おもての道のほうから甲高い笑い声が響いてきた。

次の瞬間に、開け放ったドアをくぐって、幼児がふたり転がるように店内へ飛びこんできた。おそろいの服を着て、背格好も顔だちもそっくりだ。ひとりはブロンドの髪を短く刈りこみ、もう片方は頭のてっぺんで結んでいる。

「サチ！」

ぶんぶんと手を振られ、沙智も片手を上げて応えた。双子の後ろから両親も現れる。ハロー、と笑顔で挨拶して、一家四人で入口近くのテーブルに陣どった。

ここ半年ほど、ときどきやってくる家族だった。

はじめて来店した日、沙智がテーブルまで注文を取りにいったら、父親に開口一番たずねられた。

「あなたは日本人ですか？」

沙智は少々面食らった。人種のサラダボウルとも呼ばれるカナダの中でも、この街はとりわけ移民が多い。街角ではアジア系もよく見かけるし、好奇の目を向けられることはまずなかった。

「そうですが」

おそるおそる答えると、父親だけでなく母親も目を輝かせた。

よくよく聞けば、夫婦そろって大のアニメ好きだという。あいにく沙智はアニメにも漫画にも詳しくないので、彼らの話し相手はつとまらなかったけれど、それを機になにかと話しかけられるようになった。親日家の両親の影響だろう、双子の姉弟にもずいぶんとなつかれている。

さかんに手招きされて、沙智は彼らの席に近づいた。

なにを食べようかと相談する両親の横で、子どもたちはめいめいのバックパックをごそごそと探っている。ひっぱり出した透明のクリアファイルには、何枚か色画用紙が挟んであった。

「サチ、ツルを作れる?」

上目遣いに沙智を見上げて、姉が問いかけてきた。

「ツル?」

なにを言われているのかのみこめず、沙智がきょとんとして復唱すると、弟がもどかしげに補足した。

「オリガミだよ」

それでようやく、「ツル」が日本語であることを沙智も理解した。

この両親は、当人たちいわく「英才教育」をわが子にほどこしているそうで、彼らは五歳にして動画配信で日本のアニメ番組をあれこれ視聴している。そのうちのひとつに、折り鶴が登場したらしい。

「だめよ、じゃましちゃ。サチはお仕事中なんだからね」

母親になだめられ、双子はそろって頬をふくらませた。

沙智はいったん仕事に戻ったが、一家が食事をしている間に、店はいよいよ空いてきた。他には、カウンター席で男女のふたり連れがちびちびとワインをすすっているきりだ。こちらも顔なじみの客だった。

空いたテーブルを順に片づけた後、両親に食後のコーヒーを運んだついでに、沙智は子どもたちのご所望に応えて「ツル」を折ってやることにした。彼らの持参した画用紙は分厚すぎて扱いづらかったので、そのへんにあったチラシを正方形に切って代用してみた。千代紙で折った正統派の鶴とは趣（おもむき）が違うものの、アルファベットや派手なイラストが模様のように羽を彩（いろど）って、これはこれで斬新でおもしろい。

「すごい」

「ねえ、もう一羽折って」

双子は大喜びだった。子どもたちばかりでなく両親まで、ワーオ、と感嘆の声を上げている。

ここまで感激されたら、やり甲斐もある。少しばかり調子づいて、舟や箱、紙風船も折ってみた。何十年ぶりだろう。正確な手順を覚えているか自信はなかったけれど、いざ折りはじめたら指が勝手に動いた。

四人は食い入るように、沙智の手もとに注目していた。ひとつひとつ手にとっては、しげしげと眺めている。

「あたしにも作れる？」

「僕も」

見ているうちに、自分でもやってみたくなったらしい。子どもたちにせがまれて、一番簡単にできそうな舟の折りかたを教えた。姉弟とも、ぎこちないながら丁寧な手つきで折っていく。上手ね、と両親からも褒められて満足げだ。

「これ、日本人はみんなできるの？」

「どうかな。鶴くらいは、たいてい知ってそうだけど」

「学校で教わるんですか？」

母親が興味深げに口を挟んだ。

「いや、そういうわけでもないですね」

記憶は定かでないが、授業で習うようなものではないだろう。

「じゃあ、おうちで？」

「ひょっとして、イッシソーデン、というやつでは？」

父親がずいと身を乗り出す。

「ええと、それは」

聞いたことはあるような気もするが、どんな意味だったろう。二十年近くも前に母国を離れた沙智には、博識な彼らについていけないこともままある。

「伝統的なジャパニーズカルチャーですよね？　シショーがデシに、ヒデンノオーギを伝授するんでしょ？」

どうやら「一子相伝」のことらしい。日常的に使う熟語ではないけれど、少年漫画なんかには出てきそうだ。

「いいえ、そんなおおげさな感じじゃないです。子どもの遊びなので」

沙智が答えると、父親は無念そうに肩をすくめた。隣の娘が話を戻す。

「サチはママに教えてもらったの？」

考えるよりも先に、ノー、と答えが口をついて出た。

しまった、と思った。無意識に、きつい口ぶりになってしまっていた。質問した子だけでなく残りの三人まで、目をぱちくりさせている。

「ママじゃなくて、おばあちゃんかな」

沙智は笑顔を作り、言い足した。

「そっか、グランマか」

子どもたちは納得してくれたようだが、両親は申し訳なさそうに目を見かわしている。複雑な家庭環境で育ったのかと邪推（じゃすい）されてしまったかもしれない。


沙智のうちは、少なくとも彼らがおそらく心配しているほどには、複雑ではなかったと思う。

父がいて、母がいて、父方の祖父母も同居していた。彼らは孫娘をかわいがってくれた。特に祖母は、忙しい母のかわりに、なにかと沙智の面倒を見てくれた。沙智が物心ついたときから、母は仕事に邁進（まいしん）していたのだ。家の中のことは、おおむね祖母がとりしきっていた。

普通に考えると、嫁姑の関係がこじれかねない状況かもしれない。しかし、ふたりの仲はすこぶる良好だった。孫のみならず嫁のことも、祖母はおおいにかわいがっていたのである。

大正生まれの祖母は、その世代にしてはちょっと珍しいほどの、進歩的な価値観の持ち主だった。芯が強く勝気な性格で、戦時中には看護婦として自ら従軍を志願したという異色の経歴を持ち、これからの時代は女性も社会に出て活躍すべきだと口癖のように言っていた。

そもそも自分自身も、結婚したからといって家の中に閉じこもるつもりはなかったらしい。ところが時代柄もあって、外へ働きに出ることを婚家に猛反対され、泣く泣く専業主婦にならざるをえなかった。だから息子の妻には、自分の分までのびのびと働いてほしいと望んでいたし、そのための助力も惜しまなかった。

もともと、父と母の仲を取り持ったのも祖母だった。地域の祭りだか寄りあいだかで、ふたりは知りあったという。教師としてひたむきに働いていた若かりし母を、祖母はいたく気に入って、個人的なつきあいがはじまった。そして最終的には、うちの息子と見合いをしてみないかと持ちかけるほどに親しくなった。

「先生は正子さんの天職だね」

祖母は折にふれて沙智に言ったものだ。

「あんたのお母さんに教えてもらえる子どもは、ほんとに運がいいよ」

日々仕事に打ちこむ母親のもとで、幼い沙智がさみしがっているのではないかと案じたのかもしれない。教育を通して世の中に貢献している母のことを、家族としてともに応援しようと言いたかったのだろう。そうやって母を肯定することが、孫娘に対する祖母なりの激励（げきれい）だった。

沙智は難なく祖母に感化された。みんなの役に立っているという母のことが、誇らしかった。自分もがんばらなければ、と素直にはりきった。小学校ではまじめな優等生で通っていた。「さすが、高村先生のお嬢さん」とおとなたちから褒められるたび、まんざらでもなかった。

彼らが褒めていたのは沙智ではなく母だったのだと気づいたのは、だいぶ後になってからのことだ。

皆が口をそろえて言うとおり、母は優秀な教師だった。その事実は、沙智も認めないわけにはいかない。

教え子にも保護者にも同僚にも、慕われていた。小学校の教師といえば、女性でも長く働きやすい職業のひとつといえるだろうが、そうはいっても校長や教頭といった管理職につくのは圧倒的に男性が多いらしい。女性の割合は一割前後だという校長にまで上りつめたのだから、たいしたものだ。人知れず苦労も味わったに違いない。

ただ、優れた教師が、必ずしも優れた親になるとは限らない。

母が悪い親だったとはいわない。忙しそうだったけれど、仕事ばかりにかまけて家庭を顧(かえり)みないというわけでもなかった。たとえ一緒にいる時間は長くなくても、ひょっとしたら長くないからこそ、娘のことを注意深く観察していた。褒めるべきときは褒め、叱るべきときは叱った。元気がなければ励まし、困っていれば手をさしのべた。

自分を見守ってくれる母のまなざしを、沙智は快く受けとめていた。それが親の自然な情愛によるものなのか、教師としてのいわば習い性なのか、などと穿(うが)った疑念を抱くほど、ひねくれた子どもではなかった。そのときは、まだ。

母は教育者として、子どもの扱いを実によく心得ていた。長年、おびただしい数の教え子たちと接してきた経験が、母の脳内にはデータベースさながらに蓄積されていたのだろう。不測の事態が起きても、過去の事例を参考にして、ただちに適切な手を打つことができた。

母は常に正しかった。わが子だろうが、よその子だろうが、関係なかった。もっといえば、わが子もサンプルのひとつにすぎなかったのかもしれない。

やがて思春期を迎えた沙智には、その正しさが脅威となった。

生意気ざかりの中高生にとって、親の悪口は定番の話題のひとつだった。うちの親はなんにもわかってない、理解がなさすぎる、と友達は競いあうように嘆いてみせた。無邪気に、また残酷に、ひとかけらの躊躇もなく親をこきおろせる彼らのことを、沙智はひそかにうらやんだ。

母は沙智を理解していた。しすぎていた、ともいえる。

親にまったく理解してもらえない子どももつらいだろうけれども、心の内をあっさりと見透かされてしまうというのも、それはそれで苦しいものだった。十代になると、沙智にも人並みに反抗期が訪れた。わけもなくいらいらして、ことあるごとに祖母に突っかかり、父を無視した。しかし母にだけは、突っかかることも無視することもできなかった。なにを言っても、なにをやっても、母は動じない。祖母みたいにかっとなって反論してきたり、父みたいにこれ見よがしに肩を落としたりしない。

沙智は時折、祖母や父にとった乱暴な態度や辛辣な物言いについて、母からたしなめられた。

たしなめるといっても、頭ごなしに叱責するわけではなかった。母は必ず、沙智の言い分をまず聞いた。一生懸命に弁明すれば、沙智に非がないと認められることも――ごくたまには――あった。

とはいえ、そうでないときのほうが断然多かった。口先だけで謝ってもむだだった。なにがよくなかったのか、どこがどのように間違っていたのか、徹底して自分の頭で考えさせるというのが母の教育方針だった。最初から結論を告げようとはしない。「どうしてそう思うの？」と根気強く質問を重ねていって、沙智自身が正答にたどり着くまであきらめなかった。

沙智のほうは、むろん母ほど冷静にも気長にもなれなかった。まだまだ子どもだったのだ。母の執念深い追及に、ほとほとうんざりした。腹立ちまぎれに言い返したり、不機嫌に黙りこんだりもした。沙智がいくら取り乱そうが、ふてくされようが、母は平然としていた。つられて声を荒らげることも、感情的になることもなかった。顔色ひとつ変えなかった。

それは娘を相手にするときに限らなかった。母は常日頃から、感情を――特に否定的なそれを――むやみにおもてには出さなかった。生まれつきの性格というよりは、職業柄、必要に迫られて身につけた資質だったのかもしれない。

いつだったか、母が電話で話しているのを聞いたことがある。

断片的な言葉をつなげて推測するに、育児相談を受けているようだった。子育てにまつわる悩みを抱えた保護者や友人知人が母を頼ってくることは、よくあった。そのたびに、沙智はさりげなく耳をそばだてたものだ。子ども、という単語が耳に届くと、なんだか自分のうわさをされているように感じて気になった。

だが、世の中の大多数の母親と違い、母の口にする「子ども」はわが子のことを意味しているわけではないのだった。あくまで一般名詞として、子ども全般を指す。もちろん、結果的に沙智のことも含まれるわけだが、数百分の一だか数千分の一だか、ともかく不特定多数のうちの一例にすぎない。そう気づいてからは、特段神経をとがらせずに聞き流すようになっていた。

ところが、そのときはなぜか、不可解なひとことがふと耳にとまった。

「怒った顔して怒っちゃだめよ」

子どもに注意するとき、にらみつけたりどなったりするのはよくない、という忠告らしかった。力任せに威嚇しても、子どもをおびえさせ萎縮させるだけで、根本的な解決にはならない。恐怖にさらされた子どもは思考停止に陥ってしまう。なにが問題だったのかを理解させ、再発を防がねばならないのに、頭を使う余裕を奪うなんて逆効果だ。というようなことを、母は電話の相手に諄々と説いていた。

なるほどな、と沙智は納得した。その教えを、ひとり娘と向きあうときにも母は体現していた。

母は驚くほどねばり強かった。長い教員生活の間に、沙智よりもっと強情な子どもと渡りあううちに身につけたのだろう忍耐力をいかんなく発揮して、娘の頭が冷えるまで辛抱強く待っていた。

あせる必要はなかった。ほどなく沙智が落ち着きを取り戻すことを、母は知っていたのだ。自分の主張やふるまいがいかに愚かで幼稚だったか、自覚することも。そうして、それを恥じることも。

「ごめんなさい」

謝る沙智に、母は鷹揚に言う。

「わかってくれたら、それでいいの」

心の奥底までのぞきこまれるような視線を、沙智はうつむいて避けた。

「あなたは賢い子だもの」

もちろん、沙智にもわかっていた。そんなこと、賢くなくたってわかる。

沙智が賢くふるまおうと努力するようになったのは、そんな屈辱を味わいたくない一心だった。

一時の衝動に流されて行動してはいけない。その行動が正しく合理的といえるか、あらかじめ念入りに自問してから、実行に移すように心がけた。さもないと、なぜそんなことをしたのかと後から母に問われたときにうまく答えられず、口惜しい思いを味わうはめになる。

その教訓は、家で頼みごとをしたり許可を求めたりするときにもあてはまった。

友達と遊びに行きたい、携帯電話がほしい、お小遣いの額を上げてほしい、十代の欲はきりがない。しゃにむに突っ走りそうになるのをこらえ、まずは一呼吸おいて、どう説明すれば首尾よく希望が通るかと知恵をしぼった。

友達の話を聞いていると、わが家との違いにしばしば驚かされた。世の母親たちは、「どうしてそう思うの?」と娘を問い詰めないらしかった。かわりに、「だめなものはだめ」とか「みんなそうしてるでしょう」とか言い聞かせようとするようだった。当然ながら、娘たちがとろうとする作戦もまた、沙智のそれとは異なった。甘えておねだりするという子も、泣き落としをするという子も、成績が上がったご褒美(ほうび)にと交換条件を持ち出すという子もいた。いずれも、沙智の母には間違いなく通用しない。

情に訴えることは、難しい。反面、母の主観やそのときの気分しだいでむげに却下されることもない。まっとうな理由さえあれば、理不尽な反対は受けない。

時にはちゃんとした理由がどうしても見つからなくて、ぐるぐると頭を悩ませているうちに、いつしか当初のやる気が失われてしまうこともあった。が、それも考えようによっては悪くないのかもしれなかった。しょせん、その程度の気持ちしかなかったということなのだ。

〈つづく〉

彼女は逃げ切れなかった　最終回

それは彼女が逃げ切れなかったから［後編］

西澤保彦
Nishizawa Yasuhiko

「ではのちほど、よろしく。ちょいと他にかたづけておかなきゃいけない用事がありますが、一時間後くらいには、そちらへ行けるかな。多分それほど遅くにはならないと思うので。また出る前にＬＩＮＥいたします」

そんなほたるの声にも半分、いや、ほぼ上の空で、通話が切れた後も、しばらく茫然自失していたようだ。刻子にハイボールのおかわりのグラスをコースターに置いてもらう気配でようやく、わたしは我に返った。

「光昭、って」我知らず洩れた呟きが、風邪でもひいたかのように掠れ、強張る。

「みつあき……そんな名前だったたっけ、あの子」

　わたしたちがまだ高校一年生だった、四十五年も遠い遥か昔の一九七八年。学校行事で披露するクラス演目の準備のため、桑水流町の孝美の実家に泊まり込みで集まった女子生徒たちのグループのなかに、このわたしもちゃっかり紛れ込んでいた、あのとき。お手洗いを使わせてもらい、みんなの居る広間へ戻る間際、中庭に面した長い廊下でたまたま鉢合わせした、半ズボン姿の男の子。

　たしかわたしたちより七つ下と聞いたので当時は九歳、小学校三年生くらいか。それが孝美の継母の連れ子であると知ったのは、だいぶ後になってからだ。そもそも耕造さんが再婚であるという家庭の事情すら泊まりにいった時点ではさほど気にも留めていなかったわたしは、食事の用意などいろいろ世話を焼いてくれた糸子さんの笑顔を思い返してみて初めて、そういえば孝美と全然タイプの異なる面差しだったな、と感じ入ったりした。

　孝美の義理の弟とわたしが実際に顔を合わせたのは、それ一度きり。いまとなっては半ズボン姿のイメージが断片的に残存するのみで、容姿など特徴はすべて忘却の彼方。光昭という名前を孝美の口から聞いていたか、聞いていなかったのかもはっきりしない。

「あのときの男の子が……」現在は五十三歳の中年男性の話なのに、つい「子」呼ばわりしてしまう。「あの子がいま粕川紗綾香の父親。となると、これはもう偶然では到底かたづけられそうにない。桑水流町へは行ったこともないという彼女の主張が仮に嘘ではないのだとしても、藤永邸は紗綾香の父親のかつての住まいである以上、まったく縁もゆかりも無い、という言い分は通らない。ただし、仁賀奈結太が車で尾行していた女は粕川紗綾香だった、という確証もないわけだが」

「でも、粕川紗綾香こそがその放火犯の女だった、と仮定することで、すっきり解明できる謎もあるんじゃない？」

「え。というと」

「空き家になって久しい藤永邸なんかへ彼女がわざわざ赴いた理由。それは、ずばり、仁賀奈氏を殺害するためだった」驚く暇もこちらに与えず、刻子は畳みかけてきた。「その動機は明らかでしょ。紗綾香のほうは、とっくに恋愛関係を解消したつもり。なのに彼は未練たらしく付きまとってくる。いくら拒絶しても復縁を迫り続けてくる執拗さに堪えかねた彼女が、こうなったらもう結太を亡き者にするしかない、と極端に思い詰めたのかもしれない。そこで、ストーキングされている立場を逆手に取る手段に打って出た」

「つまり粕川紗綾香は、自分が尾行されていると承知のうえで、故意に彼を空き家へ誘い込んだ、と。そういうこと？　最初から仁賀奈結太を焼死させるつもりで」

「家から火が出れば、結太は慌てて自分を救出しようと、躊躇いなく炎のなかへ跳び込んでくるだろう。紗綾香はそう予測し、すべてをセッティングしておいた」

「事前に灯油を屋内にまんべんなく撒き、自分の脱出経路もしっかり確保したうえで、結太を罠にかけた、と。なるほど。なかなか興味深い仮説ではあるけれど」

「映画やドラマじゃあるまいし、そんなにうまくいくのか、って話だよね」

「確実性に乏しいことは否めない。火事になったからといって、結太が必ず勇猛果敢に家のなかへ跳び込んでくるとは限らない。そんな無謀な行動に出るより消防に通報するだろう、と普通は予想する。一歩譲って、その場の勢いや個人的性格など不確定要素も考慮したうえでなお、絶対に彼は命懸けでアタシを救おうとするはずだ、と紗綾香側に強い確信があったのだとしよう。だとしても、結太が必ず逃げ後れることになる、なんて保証は無いんだ。まるで無傷で生き延びるかもしれない。どう考えても彼が焼死したのは結果論に過ぎないわけで、誰かを殺そうってと

前回までのあらすじ

警察を早期退職した纐纈古都乃は、旧友の久志本刻子からの頼まれ事をきっかけに、不思議な能力を持つ双子の姉妹と親交を持つようになる。ある日、亡くなったもう一人の旧友・孝美の実家が放火された。焼け跡から死後数十年が経つ遺体が発見されたと知った古都乃と刻子は、事件の真相に迫るため、過去の記憶を遡ることに。

きに、そんな不確実な方法を敢(あ)えて採るかな」

「別に彼が死ななくてもよかったのかもしれない。だって彼女の目的は、自分へのストーキングを止めることなんだから。とにかく結太が痛い目に遭(あ)って畏縮(いしゅく)し、おとなしくなってくれればそれでいい、と」

「いや、場合によっては逆効果になりかねない。例えば結太が火災には、ただ通報するのみで静観を決め込み、身心になんのダメージも受けず、紗綾香の無事も判明で落着したと想像してみて。そしたら彼、今後も紗綾香にどんな災厄が降りかかるか判ったものじゃないよな、やっぱりオレがしっかり彼女のことを見守っていてあげなくっちゃ、なんて。呑気(のんき)に、よけいな決意を新たにするだけかも」

「紗綾香はそこまで深くは考えず、ただ結太の言動が鬱陶(うっとう)しいあまり、つい衝動的にやっちゃ。あ。いや、待って。ちがう。この謀殺説には致命的な欠陥(けっかん)があることにいま気がつきました。だって、もしも紗綾香がほんとに結太を誘導しようと企んだのなら、きちんと目印になるよう、自分の車を使って桑水流町へ向かったはずだもの。絶対。でないと結太が確実に喰(く)い付いてこない恐れがある」

なるほど、その点には思い至っていなかった、と刻子の着眼に素直に感心。「実際にそれらしい車輌は走行中の結太のドラレコに映っていない。ということは紗綾香は、具体的な移動手段はともかく、自分が尾行されているという意識は無かった、と解釈するのが妥当だろう。相手が結太にしろ誰にしろ」

「こうなると放火犯は粕川紗綾香ではなく、誰か別の人物だった、と考えたほうがよさそう。ドラレコに映っている女が紗綾香と似た趣味の服装だったのは純然たる偶然で、自分を結太に尾行させるための偽装なんて意図は無かった。つまり彼が、一方的に女を紗綾香だとかんちがいし、あまつさえ突然の火災から救出せんとして逃げ後れ、命を落としてしまったのは、誤認に誤認が重なって起きた不測の、かつ不幸な事故だった」

ドラレコに映っていた人物は粕川紗綾香ではないと、そんなにあっさり断定していいのか、と反論しかけたものの正直、わたしにも彼女が放火犯だとは思えなかった。むしろ、仮に仁賀奈結太がその人物を紗綾香と取りちがえたのだとしたら、その原因のほうが重要という気がするからだ。が。とっさには考えがうまくまとまらず、後回しに。

「結太にしろ他の誰にしろ、他人に側杖を喰らわすつもりは無かったのだとしたら、いったい女はなんのために藤永邸に火を放ったんだ。どうしてわざわざ空き家なんかに」

「家屋が焼失した後、なにがあったかを考えてみましょ。もちろん仁賀奈結太の死に関しては放火犯にとっても完全に想定外の出来事だっただろうから、除外して」

「なにがあった、って。古い人骨が見つかったこと？　敷地内の納屋の地中から」

「それが放火犯の狙いだった、とか」

「は？　え。ね、ねらい、って」

「人骨を見つけて欲しかったんじゃないかしら、警察に。えと。いろいろ紛らわしいので便宜的に放火犯をAと、人骨で発見されたひとをBとして。あ、そういえば。英語で放火犯はアーソニストで、遺体はボディだから、それぞれちゃんと頭文字になってる。って、いや、そんな戯言はともかく。BとAがどういう関係なのかとか、具体的な背景の詳細はこの際、すべて措いておくとして」

　喋りながら考えをまとめているのか、厨房から出てきた刻子はグラスを片手に店内をうろうろ歩き回る。「仮に三十年前としておこう。Bなる人物が失踪する。具体的にどういう経緯でなのかはこれまたさて措き、それはBが何者かに殺され、遺体を藤永邸の納屋の土間に埋められたからだった。闇に葬られるはずだったこの事実を、Aなる人物が察知する。ところがAは警察に通報しなかったばかりか、他の誰にも打ち明けられないまま。気がつけば三十年もの長い歳月が経過してしまう。それはいったい、なぜだったのか」

　Bを殺したのがA本人だったからでしょ、と普通は真っ先に考えるわけだが。どうやら手を下したのは別人であるという前提で、刻子は推論を進めているらしい。

「Bは単に失踪したんじゃなくて殺されているんだ、と。漠然とAはそう察したものの、公然と口外できるほどの確証が無かったから？」

「Bの遺体は藤永邸の敷地内に埋められている。そこまではAも把握していた。しかし具体的にどこなのか、までは判らなかったんじゃないかな。なにしろ藤永邸は昭和の中期頃まで自宅で冠婚葬祭を執り行えるくらい、広大なお屋敷だったんでしょ？　ひとくちに埋めると言っても中庭なのか、それとも納屋の内部の土間なのか。あるいは住居部分のいずれかの和室の畳を上げた床下なのか。候補がもういっぱい、数え切れないほど」

「なんなら土蔵にだって例えば地下室とかがあるならそこへ放り込んでいるかもしれないし。なるほど。藤永邸のどこかにBの遺体が埋められているんです、と闇雲に言い上げてみたところで、その場所を明確に示せない限り、誰にもまともに取り合ってもらえない。Aはそう危惧した。うまく告発できる妙案を思案しつつ、躊躇しているうちにずるずると三十年も過ぎてしまった、と」

「時が流れ、耕造さんは特養ホームに入所。そして死去。具体的にいつ頃だったのかはともかく、藤永邸が無人になったと知って、Aは思いついたんでしょう。家屋に火をつけて全焼させれば、警察が現場検証のついでにBの遺体を地中から見つけてくれるんじゃないか。そう期待した、などと言うと、ちょっと安易で短絡的に聞こえるかもしれない。未だ誰かが住んでいるのなら難しいけれど、もう空き家なんだから。放火とか極端に走らずとも、こっそり藤永邸へ忍び込み、自分でBの遺体を探す手もあるだろう、と。でも」

「でもAは敢えて家屋を焼失させる方法を選んだ。それは広い邸内を地道に探索するよりも、火をつけるほうが手っとり早かったからか。あるいは、人骨の件とは別に、なにか個人的に藤永家に対して含むところでもあったからなのか。例えば、こんな家、行きがけの駄賃に燃やしちまえばすっきりする、といった破壊衝動的な害意に駆られて」

「そもそもBの遺体が敷地内に埋められていた以上、その死の具体的な背景や詳細はどうあれ、藤永家の人間は誰も、いっさいかかわっていない、なんて真相はまずあり得ない。もしもAが生前のBと近しい関係だったのなら、藤永家に対して相応の怨(うら)みを抱いていたでしょう。放火はAにとってある種、復讐の代償行為としての選択肢だったのかも」

「つまりAが何者なのかが判れば、Bの身元も明らかになると」

「いや。その点は敢えて訂正しよう」刻子はわたしの隣りのストゥールに腰を下ろし、脚を組んだ。「逆も真なり、というよりも逆のほうが真。すなわちBの身元を特定すれば、そこからAは誰なのかを割り出せる」

「そりゃあもちろんそうだよ。だけどさ。死後推定三十年超の人骨の身元よりも、現在おそらく存命と思われる人物の素性を探り出すほうが話は早いじゃん。どう考えても」

「そうでもないと思うなあ。だって、ひとり居るじゃない。このひとがきっとBだったんじゃないか、という有力な候補が」

「は？　え。それは誰のことを」

「Bはどういう素性の人物だったのか。遺体発見現場に鑑みて、ひとつ確実に言えるのは藤永家の人間と浅からぬゆかりがあった、という属性でしょ。なので三十年前に……」

ふと刻子はそこで口籠もった。「まてよ。およそ三十年ほど前とか曖昧に言うんじゃなくて、ここはもう、はっきりと三十三年前。厳密には三十四年近く前か。とにかく一九八九年頃の話だと限定して、進めさせて。その理由はこれからおいおいと」

ストゥールから立ち上がった刻子はしばし店内を歩き回った後、四人掛けテーブルの椅子に腰を下ろした。「同じ藤永家でもその当時、孝美は実家と疎遠になっていたし、義理の弟の光昭くんは予備校通いのため県外で下宿中という話だった。つまり生前のBは、耕造さんかそれとも糸子さんか、どちらかと深い接点があったはず。加えて人骨に絡み付いていた着衣の残骸から女性であると仮定するなら、条件に当て嵌まる人物がひとり居る。それは糸子さんの親族で、なおかつ一九八九年頃に孝美と同じようなファッションだったとしてもおかしくない、若い女性」

「ひょっとして……ひょっとして稲掛嬢のことを言ってるの？　良仁に懸想するあまり、東京まで追いかけていったという」

　刻子がさきほど自説の舞台設定を暫定的に一九八九年に絞ったのは、どうやら稲掛嬢というキーマンがこの物語に参入してくるタイミングだから、ということらしい。それだけでは根拠が薄いんじゃないのと、もやもやする当方を尻目に刻子は頷き、続けた。

「稲掛嬢の父親が糸子さんとは従兄妹同士だったという偶然が藤永家、ひいては纐纈家の運命にも多大な影響を及ぼした。その意味で彼女は今回の件に於いて最重要人物であるといっても過言ではない。孝美と良仁くんの騒動以降の稲掛嬢の動向はどうなってる？　彼女が急に関係者たちの前には姿を現さなくなった、なんてことはなかったの？」

「い、いや。それどころじゃなかった、というか。そもそもわたしは伝聞でしか彼女の存在を関知していなくて、実際に対面したことはなかったし。まったく気にも留めていなかった。けれどもこれは、ほたるに調べてもらったほうが……え。じゃ、じゃあまさか糸子さんが稲掛嬢を？　彼女を殺して、自宅の敷地内に埋めていたんじゃないか、と？」

「そこまでは判らない。ただ、仮にBが稲掛嬢なのだとしたら、死亡時の彼女が昔の孝美の趣味とよく似た服装をしていたのは決して偶然なんかではなく、意図的だったんじゃないか、という気はする」

「わざと孝美にそっくりの恰好をしていた、ってこと？　それは……」あッと思わず呻き声が洩れた。刻子が限定した一九八九年というキーワードがここへ来て起爆剤よろしく、妄想を連鎖的に暴走させる。「と、刻子」

「おっと。気をつけて」彼女はわたしの手もとを顎でしゃくる。「どうしたの、急に」

「あのとき……」危うく肘で薙ぎ倒しかけたグラスを両掌で押さえ、間をとった。

「一九八九年に、わたしがホテルのティールームで孝美に会ったときのことなんだけど。孝美が高和へ帰ってきていたのは、耕造さんの嘘に釣られてだ、と言ったよね？」

「うん。食中毒だけど生命に別状はなかったのに。危篤状態だなんて駄法螺を吹いて」

「それって、ほんとに……ほんとに耕造さんの差し金だったの？」

「どういう意味」

「さっき刻子はたしか、こんなふうに言ったよね。連絡を受けて慌てて帰高した孝美が空港から直接、桑水流町へ駈けつけてみたら耕造さんは、その時点ではまだ病院へ来たばかりで、検査も済んでいなかった、と」

「え、と。う、うん。多分そう。ずいぶん昔の話だから、脳に霞（かすみ）がかかり気味だけど。たしかそんなふうに孝美から聞いたはず」

「話の流れとしては、入院が決まったからこそ耕造さんは、これを口実に孝美を東京から呼び寄せろ、と糸子さんに指示した。そうだよね？　でも、もしも一連の出来事がその順番で起こったのだとしたら、孝美が飛行機で高和へ帰ってくる頃には検査なんか、とっくに終わっていないとおかしい。でしょ？」

「言われてみれば、た、たしかに。滔々（とうとう）と喋りながら時系列的な矛盾（むじゅん）に自分ではまったく気づいていなかった。はて。どういうことだろ。例えば孝美が話の細部を端折（はしょ）ったのか、それともあたしがなにかを曲解したのか」

「仮に孝美が渦中（かちゅう）に見聞（けんぶん）した事象をありのままに伝え、刻子のほうも彼女からの説明内容の前後関係を錯誤（さくご）したわけでもなかったのだとしたら。導かれる結論は、ただひとつ。すなわち父親が危篤状態なので一刻も早く帰ってくるようにと孝美に連絡したのは、実は耕造さんの指示によるものではなかった、ということ。糸子さんが勝手についた嘘だったんだ。それは、夫が修学旅行の下見で留守のタイミングを狙って、義理の娘を実家へ誘き寄せるための策略だったにちがいない」

「まって。ちょっと待って。その仮説が的を射ているとしたら、夫が旅先で体調不良を起こして予定を繰り上げ、早々と高和へ帰ってきたのって、糸子さんにとっては想定外の事態だった……ということになるね」

「本来は夫が不在のあいだに、孝美を高和へ呼び寄せる計画だった。しかし宿泊先で食中りに遭った耕造さんは予定を早めて帰ってきて、父娘は病院で鉢合わせ。ぴんぴんしている父親の姿に怒り心頭に発した孝美は桑水流町の実家へはいっさい立ち寄らず。刻子に連絡をとり、高和市内のホテルへ避難する。そう、まさに。それは単なるレトリックではなく、文字通りの避難だった。なぜならその予想外の展開によって自身もそうとは意識せずに、孝美は命びろいをしたんだから」

「いのちびろい？　って」

「おそらく糸子さんは当初、自ら空港で孝美を出迎え、うまく言い繕って彼女を実家へ連れ込む算段をしていた。ところが夫が早々と帰高して体調不良を訴えたため、検査に付き添わないと不自然に思われるかもと手をこまねいているうちに孝美はひとり、病院へ直行してしまった。いろいろ細かい部分については修正や補足の余地があるかもしれないが、留守にするはずの夫が戻ってきた時点でどのみち、後妻の密かな企みは白紙に戻すしかなかった。ざっとそういう経緯だったんだ」

「じゃあもしも糸子さんの計画が。って、もう。さん付けは、とりあえず止めるとして。糸子はどうするつもりだったの、もしも予定通りにことが運んでいたとしたら？　夫が不在の隙を衝き、まんまと孝美を桑水流町の実家へ連れ込んで、そして、そこで……」

「言葉にするのも恐ろしいが、おそらく殺すつもりだった。だから納屋の内部の土間に、あらかじめ穴も掘っておいたんだ。孝美の遺体を処分するために。夫が出張で一定期間、確実に留守にするという、滅多に無い絶好の機会を狙って、すべてを準備していた」

「でも糸子が、どうして孝美のことを？」

「詳しい動機は想像するしかない。でも、糸子はそういう計画を練っていたと仮定してこそ、問題の稲掛嬢がどうしてわざわざ孝美そっくりの恰好に扮していたのか、という理由もはっきりする。つまり」

「稲掛嬢が孝美のふりをする手筈になっていた、みたいなトリック？　例えば、孝美を殺して遺体を隠した後、稲掛嬢が彼女に化け、高和空港を発って帰京する役割を演じる。然る後、孝美と連絡が取れなくなったと捜索願を出せば、彼女は地元ではなく東京で、なにか事件に巻き込まれたかたちにできる。生存確認期間の偽装によって、自分たちのアリバイを担保しようとした、とか」

「シナリオとしてはだいたいそんな手順だろう。少し補正すると例えば、わけあって出奔（しゅっぽん）するけど心配しないでください、という意味の孝美の書き置きを捏造（ねつぞう）し、彼女の自宅に残しておく、なんて工作も準備していたんじゃないか。良仁を付け回していた稲掛嬢は東京での孝美の生活環境も熟知していたはずで、部屋の鍵を遺体から奪えば、そんな小細工も簡単だったろう。それによって警察を事案には介入させず、孝美の死は闇に葬られる」

「糸子の計画に稲掛嬢が協力したのは、良仁くん絡みの動機なんだろうね、当然。恋仇（こいがたき）である孝美を亡き者にしてしまえば、晴れて自分が彼を独占できる、と思って。でも、だったらどうして？　なぜ稲掛嬢本人が死んで、埋められてしまうことになった？」

「なにか手ちがいがあったんだ。共犯だったはずのふたりのあいだで、例えば深刻な諍（いさか）いが勃。いや、待って。もしかしたら、糸子じゃなくて……」自身の閃（ひらめ）きに少し怯（ひる）み、口籠もってしまった。「光昭のほうだったのかもしれない。稲掛嬢を手にかけたのは」

「なんでそこでいきなり？　ていうか、その時期、光昭は予備校通いのため県外で下宿中で、高和には居なかったはずだよ。少なくとも孝美はそう言っていた、というあたしの記憶が正しければだけど。あくまでも」

「光昭は、こっそり帰省していたんじゃないか。母親が義姉を高知へ誘き寄せようとしている思惑を察知して。具体的な経緯を端折って結論を言うと、そのとき、光昭は稲掛嬢を殺してしまったんじゃないだろうか。おそらく彼女を孝美と取りちがえて」

「は？　いやいや。それは彼女が孝美と同じような服を着ていたから、ってだけで？」

「稲掛嬢本人に会ったこともないわたしが想像を拡げ過ぎなのは重々承知だが。同じ髪形や服装で、ぱっと見、孝美だとごまかせるくらい背格好が似ていたんじゃないか。だからこそ稲掛嬢を共犯として利用する計画を糸子は考えついたんだ。そんな気がする」

「仮に光昭がひとちがいで稲掛嬢を殺害したのだとして。彼はそもそも、どうして義理の姉に殺意を向けたりなんかしたわけ？」

「動機については保留にさせてもらって。藤永家の納屋から発見された人骨は、当時二十歳そこそこだった光昭が手にかけた女性のものだった。そう仮定すると、なぜ三十余年もの歳月を経て藤永邸が放火されたのか、その理由にも説明がつくんじゃないだろうか」

「どんなふうに？」

「仁賀奈結太の件に話を戻すと。彼は、どうしてわざわざ桑水流町まで車で、放火犯とおぼしき人物を尾行していたのか」

「彼女をストーキングしていたから」

「そこだ。結太はあくまでも紗綾香を付け回しているつもりだったはず。では、なぜ問題のドラレコに映っていた放火犯を彼女だと思い込んだのか。紗綾香がいつも着るような服装をその人物がしていたからだ。その姿で粕川家から出てきたら、彼女の家を監視していた結太は当然それが紗綾香だと思い込む。単に彼女そっくりの恰好をしている別人だとは気づかず、車で追いかけていったんだ」

「でもさ、結太のドラレコに紗綾香の車の映像記録は残っていないんだよね。てことは、その人物は別の車輛で桑水流町へ向かったんだろうけれど。そのことを結太は途中で不自然に感じなかったの？　仮にも交際していた相手だもの、紗綾香が運転する車種なんかは当然、把握していたはずでしょ」

「なにか事情があって自分の軽ワゴンではなく、父親の車を彼女は拝借している、と。結太はそう納得していたんだ、きっと」

「つまり結局、ドラレコに映っていた人物っていうのは、女ではなくて……」

「粕川光昭だった。図らずも刻子はさっき、服装だけで人骨の性別は断定できない、と言った。だがこの場合、女装していたのは放火犯のほうだったんだ」

　厳密には、粕川家から出てきたというだけでは他の家族もしくは訪問者かも知れず、それが女装した光昭だったとは断定できない。が、すべて三十四年前の因縁に起因しているのだとしたら、他に該当者は存在しない。

「だとしたら光昭は、どうして自分の娘のふりなんか……あ、そうか、まって。判った。古都乃がどういう仮説を立てているのかが見えてきた気がする。要するに孝美に成ったつもりだった、と言うんだね、光昭は？　その扮装がたまたま娘の紗綾香の服装の趣味とも被っていただけの話で」

　刻子は呼吸をととのえるかのように一旦、間をとった。「変なこと、考えたんだけど。仮に藤永邸に火をつけるに当たってわざわざ孝美の恰好をしたのだとしたら、もしかして光昭は、埋められていた女性のことを孝美だと、いまでもずっとかんちが……」

　トン。とんッと遠慮がちにドアをノックする音がした。出入口近くのテーブルに居た刻子が椅子から立ち上がり、一旦ガラス越しに外を透かし見て、ロックを外す。

「あれれ？」店内へ入ってきたスーツ姿の男性を見て思わず声が出た。わたしの現役時代の同僚、筈尾くんだ。先刻ほたるは電話で、彼も連れてくる、なんて言ってたっけ？　それに、来る際はＬＩＮＥで知らせてくれるはずだったのでは、など諸々瞬間的な困惑の渋滞と同時に再度「あらら」と声が出た。

　箸尾くんを伴って現れたのは、ほたるではなかった。彼の両脇から、ひょっこり顔を覗かせたのはさっきギミーくんとともに珠希さんとの待ち合わせ場所へ向かったはずの、みをりとしえり姉妹ではないか。「ど、どうしたの？　釘宮さんとお母さんは？」

　ていうか、なんで箸尾くんといっしょ？　あなたたち知り合いだったの？　いや、現職刑事を連れて引き返してきたってことは、もしや緊急事態かなにか？　と慌てて立ち上がりかけたわたしを押し留めるかのように、しえりが駈け寄ってきた。そしてマスクが弾け跳びそうな満面の笑顔で、ずいっとなにかを差し出してくる。「ことさん、はいッ」

　真紅のヴァレンタイン・デイ仕様でラッピングされたハート形パッケージ。

「え」と驚く間もなく、みをりも翡翠色の正方形パッケージを両掌で渡してくれる。「チョコレート？　え。わたしに？　ありがとう。でも、なんで今日？　じゃなくって。あの、まさかとは思うけど。このためにわざわざ引き返してきた……んじゃないでしょうね？」

「たまたまこの方と」みをりはベテランのツアーガイド並みのおとなっぽい仕種

で、右掌を筈尾くんのほうへ上向けてみせた。「いまそこでお会いできたので、つい」

「はあ？　ど、どゆこと」とただ惑乱するばかりのわたしに双子姉妹が交互に説明したところによれば。ギミーくんの付き添いで油布（ゆふ）姉妹が大通りの横断歩道を渡っている際、反対側の歩道からやってきた四十前後の一見ノーネクタイの営業マンふうの男性と三人はすれちがった。すると、みをりがギミーくんの手を引っ張って踵（きびす）を返し、その男性に（すみません、纐纈古都乃さんのお友だちの方ですよね？）と声をかけたのだという。

あ。さては、と合点がいった。多分そのとき、くだんの男性、つまり筈尾くんはたまたま、わたしのイメージを脳内で思い描いていたにちがいない。みをりは、それをテレパシーで感知し、纐纈古都乃のことを考えているからにはこの男性はきっと彼女と近しい関係者、例えば警察官なのではないか、と見当をつけた。と、そこまではいいとして。

みをりは筈尾くんに、こう切り出したという。自分と妹はいまから古都乃さんへの贈り物を取りに自宅へ戻りたいんです、ついてはあなたに同行をお願いできませんか、と。しえりも速攻それに追随（ついずい）し、どうぞよろしく、ぺこりと頭（こうべ）を垂れる。洒落でも冗談でもなく明らかに本気の彼女たちに驚き、なんとかたしなめようと必死のギミーくんにみをりは平然と、釘宮さんはひと足先にママのところへ行っていてください、と指示。あたしたちは〈KUSHIMOTO〉に居る古都乃さんにプレゼントを渡した後で、ちゃんと合流するのでご心配なくと、そつなく付け加えて。

「みをちゃんと前から話してはいたんだ」しえりは、すべて自分の手柄とでも言わんばかりで得意げにふんぞり返る。「ママをなんとかギミーくんと、ふたりっきりにしてあげたりできないかなあ。いつまでもあたしたちがくっついてたら、うまくいかないもんね、って。そしたらさっきこのひとを、みをちゃんが呼び留めたから。あ。さすが、と。ぴんときて、あたしも乗っかったんだ。そっかあ。この手があったか、と和音の補給で」

「阿吽（あうん）の呼吸ね。なるほどお。恋するママのためにあなたたちはお節介にも席を外して小粋な演出をば。って、ちがーう」双子にステレオさながらに挟まれ、わたしは頭をかかえた。「街なかで筈尾くんに出喰わしたのが、ほんとにたまたま、だったとしても。いきなり付き添いを彼に交替させる、だなんて。いくらなんでも少しは常識ってものを」

「だって、あたしたちふたりだけで夜道をうろうろしてたらママは怒るし、ギミーくんだって困っちゃう。でも、ことさんの知り合いがいっしょなら、みんな納得で安心」

「いや、そ、そうだよ。判る。それは判るんだけどさ。あの、ちょっと」油布姉妹を刻子の居るテーブルのほうへ退がらせると、わたしは筈尾くんを手招きした。

「一応確認だけど。この娘たちとは以前から知り合い？」

「いいえ」筈尾くん、半ばこちらの予想通り真面目（まじめ）くさった表情で首を横に振る。

「さきほど初めてお会いしました。で、こちらの、えと。油布さんですか」と双子姉妹を何度か交互に見比べ、ひとつ頷いたかと思うや、上向けた掌でみをりのほうを示した。「こちらの方からだいたい、いまおっしゃられたような主旨のことをお願いされまして。はい。古都乃さんの自宅のお隣りのマンションへと、ごいっしょさせていただいた次第で」

「いやしくもきみは分別をわきまえるべき、おとな側の立場にありながら。そんな、あっさり引き受けたりする？」

「古都乃さんのお名前を出されて、お断りするわけにもいきませんし」

「そういう問題じゃないッ」筈尾くんがほんとにわたしの知己（ちき）だったからいいようなものの、これは時と場合によっては見ず知らずの他者に油布姉妹の身柄を預けたギミーくんが保護責任者遺棄を問われかねないケースで、決して笑いごとではない。「生まれて初めて会う女の子にそんな突拍子もないことを頼まれて、なにも変だとは思わなかったの？　そもそもなんでこの娘は、自分と纐纈古都乃との関係性を知っているんだ、とか？」

「言われてみれば不思議ですが。多分ぼく、顔に出ていたんじゃないでしょうか」

「は」

「仕事のことであれこれ思い悩んで行き詰まると、なにしろ薫陶よろしきを得ております身ゆえ、古都乃さんならこんなとき、どうお考えになるだろう、と。ついその思考パターンをなぞろうとする癖が。はい。なので今日も今日とて、思うのは古都乃さんのことばかり。ぼくの頭上のこの辺りでそのお顔が浮かんでいるのが油布さんの眼に、はっきり見えたんじゃないでしょうか。きっと」

な、ナニを言っているんだこのひとは、もう相変わらずというか。ある意味、超常能力者の油布姉妹よりも遥かに得体が知れない。頭上にわたしの顔が浮かんでいたんだろう、って。お茶目なレトリックのつもりなのか、それとも、みをりの精神感応力を把握したうえで、すっとぼけているのか。その泰然自若たる物腰からはまったく判別がつかない。

「たしかに、たまたまと言えば、まことにもって稀有な偶然ではあります。というのも、さきほど出先でちょうど、ほたるさんからLINEをもらったところだったので」

「ここへ彼女、来るつもりだ、って件？」

「そうですそうです。古都乃さんの意見を聞きにゆくので、よかったらのちほど、この場所に寄ってみてくださいと。その際、告げられた店名がまさしく、こちらの油布さんが口にされた〈KUSHIMOTO〉だったものですから、いやもう驚いたのなんの。これは一生に一度あるか無いかの奇蹟的な巡り合わせだぞと仰天。あ。そうだ」筈尾くん、ちっとも仰天してそうにない、落ち着きはらった所作でスマホを取り出した。「ぼくが、ひと足先にここへ来ていること、ほたるさんに知らせておかなくちゃ。えっと」

ふと先刻の電話で、刻子にも話を聞きたいと、ほたるが言っていたのを憶い出し、不穏な気持ちが胸に渦巻いた。刻子も生前の彼女と親しかったから、というのだが……孝美がいったい放火事件となんの関係が？

「てことは、無事ミッション完了したので、はいこれにて失礼、ママのところへ戻りまーす、とはならないわけなのね」刻子は腰に手を当て、至極当然のような面持ちで四人掛けのテーブルにつく、みをりとしえりを苦笑気味に見下ろした。「だってヴァレンタイン・デイ用に準備していたチョコを一日早く古都乃へ渡すために、って結局単なる口実で。ほんとの目的は珠希さんを釘宮さんと、ふたりっきりにさせてあげることなんだから」

「母にはＬＩＮＥしておきます。ここに居るから心配しないで、ゆっくり釘宮さんとお食事を楽しんできてね、って。証拠の画像を添えて」みをりはスマホをかまえ、ひとさし指を妹からわたしのほうへ流してみせた。「しえり。もう一度、ことさんと並んで。あ。筈尾さんも、よかったらごいっしょに」

　否応なく刻子も加えての撮影会と相成り、みんなマスクを外した。みをりがこちらへスマホを向けたそのとき、彼女の耳もとからエメラルドグリーンの透過光が立ち昇った。錐揉みしながら押し寄せてくる。ほんの一瞬で消えたが、わたしたち四人のうちの誰かの心象風景をテレパシーで捉えたらしい。なんだろ？　ていうか、誰のを？

　ふとスマホから顔を上げたみをりと眼が合った。その瞳の滋味深い色合いに、なぜか突然、胸騒ぎがしたわたしは吸い込まれるかのように、彼女へ歩み寄った。

　我知らずもの問いたげな表情を曝していたらしい。みをりはわたしに頷いてみせるや、そっとスマホ画面を差し示した。しえりとわたし、刻子に筈尾くんの四人が横並びになった構図。いや、そこには五人目の顔が映り込んでいた。しかもちょうど、わたしの肩の上あたりに。はっきりと。みをりがその部分をズームすると、そこに居たのは。

　瓜実顔にセミロングの若い娘……孝美だ。しかも明らかに二十代後半くらいの。そんな彼女を目の当たりにしたわたしは、危うく驚嘆の声を上げてしまうところだった。

　孝美の若き日の肖像を、みをりの精神感応力が捉えたこと自体は不思議ではない。ついさっき筈尾くんの言葉に触発されたわたしは脳内で強烈に彼女のことを思い浮かべたのだから、むしろ想定内とも言えよう。

　圧倒されたのはその解像度だ。これほど鮮明な姿のまま孝美は現在に至るまでずっと、わたしの心のなかに留まり続けていたのだろうか。普通に考えて、こんな再現度はあり得ないのではないか？　と打ちのめされる。

　わたしだけではなくて一般的にも、カメラやビデオ機材のような写実管理機能の無い人間の記憶力には限界があるはずだ。たとえどれほど忘れ難い事象であろうとも、その印象は時間経過に伴い、変容する。美化や幻滅の振れ幅の程度に多寡はあれど、主観的イメージによる加工や修正は免れない。

　むろんみをりの捉えたこの画像自体、わたしの主観的記憶を反映したものなのだから、例えば昔の孝美の実際のスナップ写真と比べてみれば微妙なデフォルメ具合など一目瞭然かもしれない。が、それを割り引いてもなおテレパシー画像の鮮明さは強烈だ。

　もっとも衝撃的なのは、スマホ画面のなかの孝美が、現在のわたしの娘と称してもおかしくない若さであること。そんな彼女と、還暦を過ぎたこちらとのコントラストが、なんだか遥か遠い過去から孝美が、わたしを追いかけてきたかのような錯覚を喚起する。

あまり自覚はなかったけれど、ひょっとしたら長年わたしは負い目のようなものを感じ続けていたのだろうか。すなわち、孝美との関係性の本質から常に目を逸らそうとしてきた、という。一応苦悩するふりをしつつ真正面からは向き合わず、逃げ続けていた。

二〇一九年に孝美が帰省した際、わたしが老父の介護疲れを口実に彼女と会おうとしなかった一件にしても然り。孝美は自分が避けられているように感じた、と手紙のなかで告白していたけれど、ほんとうにそうだったのかもしれない。おそらく、わたしは逃げていた。逃げ切れるはずのない現実から。

わたしにとってほたるはあくまでも弟の良仁の忘れ形見なのであって、それ以上の意味は無い、と。そんなふうにむりやり思い込もうとしていたのではないか。だとしたら、とんだ自己欺瞞だ。そう悟ってもなお、では自分はいったい、ほたるをあいだに挟んだ孝美との関係性をどう捉えて、これまで生きてくればよかったのか、と途方に暮れる。

無力感にさいなまれながらストゥールへ戻るわたしのもとへ筈尾くん、スマホを手にゆったり歩み寄ってきた。「返信が来まして。ほたるさん、こちらへ来るのが少し遅れそうだとか。なので、お待ちになっているあいだにぼくのほうから、とりあえずさわりを古都乃さんに説明しておいてくれないか、とのことですが。よろしいでしょうか」

「桑水流町の放火の件？　お願い」

筈尾くん、頷いた。「失礼」と、わたしの隣りのストゥールに腰を下ろす。「どこまでご存じです？」

「亡くなった仁賀奈結太が生前交際していた粕川紗綾香の父親が、かつて藤永家の住人の旧姓藤永光昭だった、というところまではさっき、ほたるから聞いた」

「実はその粕川光昭なる人物には、四年ほど前にも我々は一度、会っているんです。正確に言うと彼のほうから警察へ、情報提供をしたいと訪れてきたのですが」

「情報提供？」

「粕川光昭曰く、自分は三十年ほど昔。つまりその時点で、ですから一九八九年頃まで藤永姓だった。母親の離婚で粕川姓になって以降、ずっと疎遠になっているその藤永家のことで、重大なお話がある、と」

音量はそれほど大きくないのに、筈尾くんの声はまるで砂に染み込む水さながら、よく通る。「それは藤永家の長女で、自分のかつての義理の姉だった藤永孝美に関してだ。彼女はおよそ三十年前から家族と音信不通になっていて、自分はちょうどその時期、日本を離れて海外留学中だったため、詳細は聞かされていないのだが、どうやら出奔してしまったらしい。生前の母によると、書き置きがあったので多分生存はしているようだ、とのことだったが。それはちがう。実は藤永孝美は、もう死んでいると自分は思う、と」

厨房へ戻った刻子が、はッと息を呑む気配とともに店内が一瞬、静寂に包まれる。

「死因などの詳細はともかく、彼女の亡骸は桑水流町の藤永邸のどこかに隠されているはずだ。いまここでなにか証拠を見せろと言われても困るが、自分はそう確信している。どうか警察のほうで調べて欲しい、と」

「そんなふうに言ったんだ、光昭は……義姉の死を確信している、と」いまから四年前ということは、実際に孝美はしっかり存命だったのに、と内心で指摘。「二〇一九年の時点で。しかも彼女の遺体は藤永邸のどこかに隠されているんだ、とまで。はっきりと」

「雲をつかむような話でしたが、とりあえず手の空いていたほたるさんが藤永家へ話を聞きにゆくことにした。といっても、自宅はすでに空き家になっていると判明したので、世帯主が入所していた市内の特養ホームのほうへ。ところが肝心の藤永耕造は、その数日前に老衰で亡くなられた直後だった」

漠然と不安めいた予感に襲われるわたしの胸中を、まさか見透かしたわけではあるまいが、筈尾くんは意味ありげにそこで一拍、間を置いた。「タイミングよくと言うのは不適切かもしれませんが。そのときたまたま、事後処理諸々の手続に訪れた遺族が施設内の事務所に居合わせたので、ほたるさんはその方から話を聞くことができた。するとなんと、それが当時東京在住だった藤永孝美さん、ご本人だったのだそうです」

知らなかった。いまのいままで全然。ほたるが、そんなところで孝美との対面を果たしていた、だなんて……その場面を想像しようとするだけで胸が苦しくなる。

溢れ返りそうになる感情を少しでも押し留めようと、わたしは軽めの口調を努めたが、どれだけ成功したかは心許ない。「……なんとも呆気なく、粕川光昭の訴えは的外れだったことが明らかになったわけね。藤永孝美は音信不通でもなければ、死んでもいない。ぴんぴんしていた、と」

「ほたるさんは一応念のため、藤永孝美さんに事情を明かしたうえで、身分証明書の提示をお願いした。そして、あなたはすでに死亡し、遺体が藤永家の邸内に隠蔽されているはずだ、などという妄言を粕川光昭はなぜ、わざわざ警察へ来てまで言い立てたのか。その理由に、なにかお心当たりはありますか、と彼女に訊いてみたそうです」

「孝美は……」無意識に筈尾くんの前で彼女を呼び捨てにしてしまったが、訂正する気力も無い。「孝美はそれに、なんて？」

「まるで見当もつかない。一旦そう答えた。が、しばし考え込んだ後、突拍子もない話でよければ、ひとつだけ、考えられる理由が無くもない。それは光昭の母親、つまり自分のかつての継母の糸子が息子に、そう吹き込んだからではないだろうか、と。具体的にどう伝えたかはともかく光昭に、あなたの義姉は死んだと、そう思い込ませた。では糸子はなぜそんなことをしたかというと、これはあくまでも孝美さんの推測ですが、息子が邪念に惑わされないようにするための、母親としての配慮だったのではないか」

「邪念？　配慮？」

「父親の再婚当初、孝美さんは継母本人と、それほど折り合いが悪かったわけでもなかったそうです。ところが思春期の光昭が成長するにつれ、義理の姉に性的関心を向けるようになる。孝美さん自身がそう感じるというより、継母がその事態を異様に懸念し、警戒しているのが手に取るように判ったのだとか。このままなにも対応せずに放置していたら息子はいずれ彼女と、まちがいを犯してしまうんじゃないかというモラルの問題以前に、光昭が自分以外の女性に執着すること自体が糸子は赦せなかったのかもしれない。そんな猜疑心や敵愾心が嵩じて、義理の娘の存在を消去しなければならないという強迫観念につながり、義姉は死んだ、という息子への虚言として吐露されたのではないか。孝美さんの見立ては、ざっとそんなところです」

それこそが稲掛嬢を替え玉に仕立て、孝美抹殺を目論んだ糸子の動機だったのだ。もちろん息子には秘密で進行していたのだろう。しかし県外で下宿中だったはずの光昭がこっそり帰省し、乱入したため、計画のすべてが総崩れになってしまった。

「折しも光昭は海外留学を決めたところで、東京在住の義姉と顔を合わせる機会もそうそう無い。孝美が死んだと嘘をついても簡単には、ばれるまい。息子を学業に専念させるためにも良い機会だからと、義姉のことはもう忘れなさい、と言い聞かせた。ただ、どういう根拠を示して光昭を説得したのかまでは、さすがに孝美さんにも判らない、と」

光昭は、そう母親に言い聞かされたから孝美が死んだと思い込んだわけではない。自ら手を下してしまったからこそ、その相手が義姉だと、かんちがいしていたのだ。

父親危篤の連絡を餌に、遺体処理用の穴を掘って準備した実家へ孝美を誘い込む段取りとなっていた決行日。そのとき実際に糸子と稲掛嬢、そして光昭の三人のあいだでいったい、なにが起こったのか。

大雑把(おおざっぱ)な経緯としては、糸子が夫の付き添いで病院へ行かざるを得なかったため、そのあいだ、孝美に変装した稲掛嬢は、ひとりで藤永邸に待機していた。そこへ、こっそり帰省した光昭が彼女と鉢合わせる。糸子が舞い戻ってきたときの邸内は惨劇の最中だったのか、それとも、すでに起こってしまった後だったのか。具体的な詳細は判らない。

さきほどの筈尾くんの口ぶりでは糸子もすでに鬼籍(きせき)に入っているようなので、あとは光昭本人に訊くしかあるまいが、彼とて正確な供述ができるかどうかは極めて怪しい。おそらく光昭は事実をありのままに認識してはいないだろうと考えられるからだ。

誤って稲掛嬢を死に至らしめ、動揺している息子をおそらく糸子はこんなふうになだめた。あなたはなにもしていない。だから今日の出来事はすべて忘れなさい。だいじょうぶよ。お義姉ちゃんは絶対に誰にも見つけられないところに隠しておくから。そして家出してしまった、ということにするから。あなたもしっかり、そのつもりでいるのよ。孝美は自分で勝手に居なくなったんだ、と。

ただ、はたして糸子がどこまで意図的に、自分が手にかけたのは義姉であると息子に誤認させたかは判らない。あるいは光昭自身が勝手にそう思い込んだのに付け込み、敢えて訂正しなかっただけかもしれない。が、いずれにしろ孝美を自らの手で殺めてしまったというトラウマは光昭の心の奥の奥の、奥底まで、しっかり根づいてしまった。

三十年の歳月を経ても到底その懊悩からは逃れられない。義姉の遺体を見つけて、きちんと供養しなければと思い余ったのだろう。藤永家とはもう関係のない自分が勝手に家捜しするわけにもいかないので、自らの関与は隠して警察に相談したというわけだ。

その結果、藤永孝美さんはご存命ですと報告を受けたはずなのに、光昭は信じられなかった。あるいは事実を受け入れるべきという葛藤があったものの、決着がつけられず、三年間も心が引き裂かれるかたちで苦しみ、些か精神的均衡を崩していたのか、こうなったら実力行使とばかりに藤永邸への放火という極端に走ってしまう。犯行時には敢えて昔の孝美に似せるような服を着て。

同じだ、と思った。刻子のお兄さんのケースとまったく同じ。妻を失った哀しみと喪失感。彼女が居なければならないはずのベッドのなかを占領する空白。その圧倒的な不在を少しでも軽減するため、お兄さんは自身の身体でその空虚を埋め合わせる。

光昭もまた、自らの手で生命を奪った女性の不在を、彼女と同じ服をまとった自身で代用し、空虚を埋め合わせようとしたのではないか。娘の紗綾香がたまたま昔の孝美を想起させるテイストの服を着ていたのがヒントになったのだろう。そして光昭は現在もなお、自分が殺した女性は孝美だった、と信じて疑っていない。いや、ひょっとしたら。

光昭はむりやり、そう思い込もうとしているだけ……なのかもしれない。どうせ殺人という重い十字架を背負わなければいけないのなら、自分が手にかけた相手が見ず知らずの女性だった、なんて現実は受け入れらない。せめてそれは孝美だったということにしておきたいと、ただひたすら自己欺瞞に縋った挙げ句に藤永邸を焼失させた。ところが。

「……仁賀奈結太の不慮の焼死によって、娘の紗綾香が事件への関与を疑われることになったのは、光昭にとって計算外だった」未だ話はそこまで進んでいないのに、つい放火犯は光昭であるとの前提で、そう独りごちてしまった。「だから翌月、翌々月と、無関係な放火を重ねたんだな。紗綾香への嫌疑を晴らすために。あたかも空き家ばかりを狙う無差別放火犯が存在するかのように装って」

「おっと。まさにその点なんです、古都乃さんのご意見を伺おうと思ったのは。さきほども言ったように我々は、四年前に一度すでに粕川光昭と接触していた。にもかかわらず当初、桑水流町の放火事件と彼とを結びつけられずにいたのです。が、続く連続放火の理由が仮に粕川紗綾香への疑惑を逸らすためだとしたら犯人は父親の光昭ではないか、と四年前の件を失念していたほたるさんも、ようやく関連づけて思い当たった。ではそもそも桑水流町の放火の動機はなんなのか。もしや四年前に、ほんとうは生きていた藤永孝美の死を言い立てた事実こそが重要ではないかと、孝美さんと親しかった古都乃さんやそれからお友だちの久志本さんにもお話を訊」

　トントン、と出入口の扉がノックされた。ロックされていなかったようで、カウベルを鳴らして入ってきたのは、ほたるだ。

「どうも遅くなりまして」と感染防止用マスクを取り出し、装着しようとする彼女をわたしは、とっさに「あ。ちょっと待って」と止めた。背中でほたるの視線を遮ってみをりを手招きし、そっと囁いた。「娘のこと、撮ってみて欲しいんだけど……できる?」

それは他愛ない思いつきだった。図らずも実母との邂逅（かいこう）を果たしていたほたるのなかには、いまでも孝美のイメージは残っているのだろうか、という。「ほたる、あなた」と確認の衝動を抑えられず、我が娘に向きなおった。「いま筈尾くんから聞いたんだけど。四年前、藤永耕造が入所していた特養ホームで、娘の孝美さんに会っていたんだって？」

「ええ」とのほたるの答えを合図に透過光が発せられる。てっきりみをりかと思いきや、え？　光が赤い。これはしえりのほうだが、と訝る（いぶか）暇もなく、わたしの身体は彼女の念力で動かされる。くるり、と回れ右。

「ことさん、家族写真はちゃんと、ふたりで並ばなきゃ」と明らかになにも深く考えていない、しえりの無邪気な笑い声。問答無用で互いに肩を寄せ合う恰好にさせられたわたしとほたる。その全身を今度こそ、みをりのほうの緑色の透過光が包み込み、撮影。

「はい」とみをりが示してくれたスマホの画像には、ほたるとわたし、そしてふたりのあいだに挟まれるかたちで孝美が映っていた。初めて見るボブカットのグレイヘアで、わたしと同じくらい老け込んだ彼女がそこに。

それはわたしたちが初めて三人で、いっしょに集った、家族の肖像。

〈完〉

きたきた捕物帖 第四十八回

気の毒ばたらき

その十四

宮部みゆき

Miyabe Miyuki

イラスト：三木謙次

十四

――死んでしまった以上は、放火の下手人であっても、もう仏だ。お縄にすることはできん。

沢井の若旦那の言で、お染の亡骸はそのまま下げ渡されることになった。富勘に手伝ってもらい、北一は亡骸を戸板に乗せて、冬木町のおかみさんの貸家に運んだ。おかみさんが、目立たぬようにお染を弔ってやりたいと言ってくだすったからだ。

おかみさんと北一、富勘と煮売り屋のお仲、おみつと、晴れておみつの許婚者として認められた松吉郎も見送りに来てくれて、「福富屋」が招いてくれた猿江町の古刹の住職がお経をあげてくれた。

亡骸はもう傷んでいるので、早く埋葬しなくてはならない。その手配をつけようと急ぐうちに、お仲が言い出した。

「もしもできれば、焼いてお骨にしてあげられませんでしょうか。お骨なら、うちに祀っておいてあげられますから……」

二人で煮売り屋をやりたいと、お仲はずっと願っていた。お染だって、自分の病のことがなければ、進んで文庫屋からお暇をもらい、お仲のところに身を寄せたことだろう。今の文庫屋には、お染が自分の幸せを諦めてまで立てねばならない義理はなかった。

江戸市中で、コロリや疱瘡などの怖い疫病が流行ったときには、多くの亡骸を焼いてお骨にして葬る。しかし、今回はお染一人だけのことだから、段取りを引き受けてくれる葬儀屋がいるかどうか、さすがの富勘にもあてがなかった。

できればお仲の想いをかなえてやりたいから、北一も心あたりに相談を持ちかけてみた。すると、意外なことに、与力の栗山周五郎が手配をつけてくれた。

「私は折々に、鈴ヶ森や小塚原へ出向いて、斬罪に処された罪人の亡骸の腑分けをすることがある。だから、あちらには知り合いが多いのだ」

結局、お染の亡骸は小塚原で焼いてもらい、素焼きの小さい骨壺に収められて、お仲のところに戻ってきた。

「これからは、毎日一緒にいられるよ」

お仲は骨壺にそう声をかけて、大事そうに抱えて帰っていった。

お染の（その言い方で正しいかどうかはさておき）隠し子で、今は貧乏人を大勢診てくださる（それこそ仏のような）町医者のことも、栗山の旦那には二、三の心当たりがあったようだ。だが、沢井の若旦那と相談し、

「こっちから探さずとも、どうしても気になれば、向こうからお染のことを聞き合わせにくるだろう。北一も触らずにおけ」

これには、冬木町のおかみさんも同じ意見を持っていた。

「深川元町の文庫屋の火事のことは、けっこう噂が広がっているからね」

そもそも火事の多い江戸の町にとって、どこかで火事が出たという報せは、他人事ではなく聞き捨てならないことなのだ。読売も早々にばらまかれる。

「それでも、今までのところは誰も、目立つ形ではお染の安否を聞き合わせに来ていないんだから、そこを察してあげた方がいいのだろうよ」

北一も考えた。もしかすると、お染の倅(せがれ)の町医者の先生は、文庫屋の火事の報を知って、すぐにもお染の安否を調べたのかもしれない。そしてお染が行方(ゆくえ)知れずになっていることと、放火の下手人である疑いが濃いということも、同時に知った。

北一がその町医者の立場だったなら、どうするか。

放火は市中引き回しの上、火あぶりに処せられる大罪だ。今度の火事は、死人こそいなかったが怪我人(けがにん)は出たし、小火(ぼや)では済まずにかなりの戸数に被害を出してしまった。で、その下手人のお染は姿をくらましているところに、親族でございますなどと名乗り出たら、最悪の場合は連座というか、お染の代わりに処罰されてしまうことだってあり得る。

前回までのあらすじ

北一(きたいち)は、岡っ引き・千吉(せんきち)親分の本業だった文庫の振り売りをしている。「長命湯」で釜焚(かまた)きをしている喜多次(きたじ)は、よき相棒だ。ある日、万作(まんさく)・おたまの文庫屋が火事になる。火をつけたのは女中のお染(そめ)で、自ら命を絶った。お染には、若い頃産んで養子に出した息子がいて、江戸で町医者になっていることがわかる。お染はその息子に、いくばくかの金を遺してやりたかったのに、おたまが約束を反故(ほご)にしたので盗みを働いたのだ。北一は、お染の心中を思いやり、居たたまれない気持ちになる。

――名乗り出られねえよなあ。

触らないでおけという、栗山の旦那も沢井の若旦那も人情家なのである。ありがたいと胸にたたんで、北一も忘れることにしよう。

深川元町の火事からざっと一月が過ぎ、師走も半ばに至るころには、木置場の仮住まいにいた人たちも半分ぐらいは新しい落ち着き先を見つけて移っていった。

万作とおたまの文庫屋は、なまじ焼け出された元のお店が大きかった分だけ先の見通しが立てづらいようで、仮住まいから動く様子がない。ただ、職人たちや奉公人たちは、だんだんとばらけて数を減らしている。お上からの正式なお沙汰はまだないが、もしも闕所となれば身代はそっくりお取り上げになるから、文庫屋を続けるとしても、元の規模を保つことはとうてい無理だ。みんな、それを承知しているから離れていく。万作もおたまも、引き留めようともしない。

空いているところが増えたので、仮住まいそのものも縮小することになり、また人手が集められた。北一はそこに、喜多次も誘った。簡素な造りの小屋をばらすから、木っ端やごみをたくさんもらえるからだ。

二人で半日力仕事をして、働きぶりのいい喜多次は早々に大工の棟梁に目をつけられたが、何を話しかけられてもまったく返事をせず、棟梁の姿さえ目に入ってないみたいにふるまうもんだから、北一は宥めに入った。

「こいつ、扇橋の外れの湯屋の釜焚きなんですよ。鉄梃みたいに意固地な無口野郎なもんで、あいすみません、おいらのこの粗末な頭ならばいくらでも下げますんで、カンベンしてやってくだせえ」

おかんむりの棟梁が諦めて離れていったので、北一は喜多次を肘で小突いた。

「おまえ、ごめんくださいぐらい言えねえのかよ」

喜多次はいつものようなだんまりで、ガタつく大八車に焚き付けを積み込んでいる。そして北一の方を見ずに、

「あんた、今夜うちの釜焚き場にこられるか」と訊いてきた。

「何の用だよ」

「来りゃわかる」

ぶすっとそう言い捨てて、北一を置いてけぼりにさっさと帰っていってしまった。

さすがの北一も気を悪くした。何だよ、あれ。

その晩、冬木町のおかみさんのところで旨い夕飯を食わせてもらい、おみつが縫ってくれた新しい綿入れを着込み、手ぬぐいでほっかむりして、「長命湯」に向かった。

喜多次は釜焚き場にいた。いつもの腰掛けに座って、釜から溢れ出る光に身をさらしている。足元に置いた火かき棒にも、釜の奥の炎の色が映えていた。

ここ数日、朝夕の冷え込みが厳しくて、「富勘長屋」のどぶ板のまわりにも、すぐ霜柱が立つくらいだ。夏場は、焚き付けが山積みされているこの裏庭ぜんたいに釜の熱気がよどんでいて、足を踏み入れるだけで汗が噴き出してきたものだが、真冬の今となれば、あかあかとした火が恋しい。

両手をこすり合わせながら、北一は喜多次の背中に近づいていった。

「おい、来たぞ」

ただ来ただけじゃねえ。土産がある。

「ほら、これ。おまえの分だ」

小脇に抱えていた新しい綿入れを、喜多次に向かって掲げてみせながら、歩み寄る。

おみつが古い着物をほどいたり、端布をつなぎ合わせて縫ってくれた綿入れだから、北一の分と喜多次の分と、色柄が少し違っている。でも、温かさは一緒だ。

「ちっとはありがたいと――」

そこで北一は声を吞んだ。喜多次は一人ではない。釜の正面から外れたところ、焚き付けの山がつくる暗がりのなかに、誰かいる。暗がりよりも黒い人影が背中を丸めて座っている。

「こいつ、誰だよ」

北一はその人影にではなく、喜多次に問いかけた。と、まるでそれを待っていたかのように、長命湯のおんぼろ屋根の向こう側で、犬の遠吠えが起きた。

「うお〜ん、うぉおおお〜ん」

さらに、今度は北一の背後のどこかで、それに答える遠吠えが、

「うううううぉ〜ん、うううぉ〜ん」

シロとブチだ。どっちがどっちだか聞き分けられないが、二匹で長命湯を挟んでいる。

喜多次はゆらゆらと燃える炎をにらみ据えながら、手元に集めた焚き付けを取って、釜のなかに放り込んだ。よじり合わせて放りやすくした古紙と、細い枯れ枝と、剝がした屋根板を小さく割ったものだ。

「なあ、カンベンしてくれよ」

暗がりのなかの人影が声を出した。なめらかで若々しい、耳当たりのいい声音。

――あの指南役だ。

北一は人影の方に身を乗り出し、

「おい、こっちへ顔を向けろ」

声をかけると、人影は渋々というふうに頭を上げ、釜から溢れる光のなかに顔を突き出してきた。

「やっぱり！」

女形のように色が白く、そこそこ整った顔立ちをしている。今夜はこいつも薄い綿入れを着込んだ上に、襟巻きもぐるぐるに巻いていた。長命湯の二階の座敷で見かけたときほど、小洒落た支度ではない。とりあえず寒さをしのげるものを着込んできたというふうだ。焚き付けの山から拾い出した小さい木箱にでも腰掛けているのか、全体にちんまりと身を縮めている。

北一の驚きの一声が聞こえたみたいに、またシロとブチが遠吠えを交わす。すると、指南役はさらに首を縮めて、北一に頼み込むように囁きかけてきた。

「そっちの兄さん、あんたは下っ引きなんだって？　だったら、こっちの兄さんよりは話がわかるだろ。金で引き合いを抜くのも、岡っ引きの仕事だもんな」

えっと、どういうことだ？　北一は頭がついていかない。

岡っ引きの手下は、「小者」と呼ばれることが多い。「下っ引き」というのは、言葉の感じからもわかるとおり、見下した響きがあるからだ。北一自身は面と向かってこう呼ばれたのはもちろん初めてだし、千吉親分が健在のころ、兄ぃたちの誰かがこう呼ばれるのを耳にした覚えもない。

「おまえ、苗問屋〈六卜屋〉の男だよな」

北一は、まるでこの場には自分一人しかいないとでもいうかのように黙々と釜焚きを続ける喜多次の横顔と、光のなかにぽかんと間抜けな感じで浮かび上がっている指南役の男の顔を見比べながら、問いかけた。ちょっとは凄んでみるべきだったかもしれないが、あいにく、そういうのに慣れていない。

　だが、北一が強面ぶってみせずとも、指南役の男は充分に参っているようだった。

「そうですよ。なんで露見たのかなあ。そんな下手を打ったつもりはないんだが」

　そこでやっとこさ、釜の炎から目を離さぬまま、喜多次が言った。「六卜屋の四男坊で、名前は忠四郎っていうんだ。歳は二十四だとさ」

「年男なんですよ」と、指南役の男、忠四郎は言った。剽げたような口ぶりだが、明らかに喜多次の横顔を警戒している。

「兄さんたち、俺よりはずいぶんと若いだろ。兄さんたちって呼ぶのは、おかしいやね。そっちも名前を教えておくれよ」

　懐柔するようであり、なれなれしいふうでもある。どっちにしろ愉快ではない。

　北一は、また喜多次の横顔を見た。むっつり。焚き付けを放り込む。釜の奥に炎が躍る。今夜は湯殿に客が何人もいるのかな。

　腹の底に力を込めて、北一は言った。「おいらは北一。深川を縄張にしていた文庫屋の千吉親分の小者だ。忠四郎さんとやら、いきなり喧嘩を売ろうっていう腹じゃなきゃ、岡っ引きの手下を下っ引きなんて呼ぶもんじゃねえ」

忠四郎は「うへ〜」と間抜けな声を出す。なんだこいつ、腹立つな。

「忠四郎さんとやら、ここで何してんだ」

北一の疑問に、忠四郎はまたぞろ間抜け丸出しの腑抜けた顔と声で、

「えええ〜、そんなの、おれに訊かれたって困るよ。こっちの兄さんに訊いとくれ」

そろりそろりと顎の先で喜多次を指してみせる。怖がってンのか見下してンのか、どっちかにしやがれっての。

「喜多次、なんでこいつをここに連れてきたんだ？」

立ったまま問いかけてみた。喜多次は動かず、返事もしない。湯殿の方から、ばしゃばしゃと湯をかき回す音が聞こえてきた。

「おい、釜焚き！　熱いぞ！」

その声に、喜多次はぬっと立ち上がった。腕を伸ばして忠四郎の胸ぐらをひっつかむと、焚き付けとゴミの山のあいだ、少し開けているところへ引っ張っていった。

「こいつらの身元をつかんでからこっち、暇をみては様子を窺っていたんだが」

ぼそりと呟きながら、忠四郎の胸ぐらから手を離し、突き飛ばす。世慣れて見え

た指南役の男は、紙人形みたいにへらりと尻餅をついた。そういえば、こいつは背ばかり高くて胸板の薄い、ひょろり野郎だったんだ。

「こいつらは、次の気の毒ばたらきに取りかかりそうもなかった」

気の毒ばたらき。気の毒だねえ、たいへんだったねえと同情しながら、火事で焼け出された人たちのあいだに立ち交じり、その人たちが命からがら持ち出してきた家財道具のなかの金品を漁って盗み出す。卑怯な手口だ。

「あれから本所深川では目立つ火事はなかったけど、上野や御徒町では小火がいくつか続いたし、つい一昨日、雑司ヶ谷の先でかなり大きな火事があった」

それなら北一も知っている。こっちの方よりは町家が建て込んではいないが、古いお寺のお堂と庫裏が焼けて大変だったという噂だ。

「今度こそは動き出すかと思ったが、こいつはイノやトミと名乗っていた男たちみたいな、自分の手先を集めようとはしなかった。質屋の六実屋とも繋ぎをとる様子はなかった」

ふん、このまま待っているのもかったるい。

「だから、こっちから出向いてって、引っ張ってきたんだよ」

ぼそぼそと語る喜多次の足元で、殴られたわけでもないのに顎のまわりをちょっと確かめてから地べたに座り直して、忠四郎が大げさにため息を吐いた。

「ホントに参ったよ。兄さんたち、イノやトミや、六実屋のことまでつかんでるんだからさ」

「北辻橋のそばにある質屋だろ」

「うん。な〜んでわかったんだい？」

人をバカにしたような軽〜い問いかけに、シロとブチの遠吠えがかぶって響く。途端に、忠四郎は首をすくめた。

「もうホントにカンベンしてくださいよ。おれ、犬が怖いんだ。小さいころに尻を嚙まれて大怪我をしたもんだから」

こいつのことだから、口から出任せかもしれないが、事実だとしたら、いい気味だ。

「おまえと、六実屋と、イノとトミをどうやって探し出したか。そんなのは岡っ引きの小者の手の内だ。教えられるもんか」

北一はしゃがみ込み、忠四郎の白い顔を正面から見て、尋ねた。

「深川元町の火事の気の毒ばたらきで大枚を稼いだから、しばらくは温和しくしてようってんで、なりを潜めてたのかい？」

間近に覗く忠四郎の眼の底に、一瞬だけ、

——小癪なガキめ！

という色がよぎって、すぐ消えた。こいつは自分の本心を隠せる役者のようだ。

「まあ、ねえ。おれたちだって、師走はそれぞれの生業で忙しいんだよう」

「四男坊のおまえさんが六卜屋で何を忙しいのか知らねえが、長屋住まいの飾り職人のトミと、病で寝込んでる女房に朝鮮人参を呑ませたくて必死のイノは、確かに忙しいだろうなあ」

芝居抜きで、忠四郎はちょっとぎくりとした。北一から、喜多次の方へ目を泳がせる。

「……あの二人も、ここへ引っ張ってくるつもりかい？」

北一は返事を渋っているようなふりをして、横目で喜多次を窺った。

「やめておくれ。あいつらは、言ってみりゃおれの下っ引きでさ。おれに言われたとおりに動いてるだけなんだ」

おふざけ野郎の忠四郎の声音の下から、本音の声が聞こえてくる。こいつ、下っ引きをかばうのか。

「兄さんたち、あの二人の本当の名前も突き止めてる？」

北一は思わせぶりに沈黙を守った。喜多次は計ったようにくしゃみをした。それも続けて二つ。

諦めたみたいに両の眉毛を下げて、忠四郎はのろのろと言い出した。

「トミは親父さんの借金を背負ってて、妹を岡場所に売ってもまだ足りなくてさ、食うや食わずで働きづめなんだよ。イノは、兄さんが今言ったとおり、重い肺の病で苦しんでる女房を抱えてる」

二人とも、気の毒ばたらきに手を染めたのは、切実に金が欲しいからだ。根っからの盗人ではない——

「二人とも、あんたが誘い込んだのか」

「おれは、イノと知り合いだったんだよ。あいつは〈升生〉の手代だからね、うちの親父が升生からずっと通風の薬を買っててさ。月に一度、薬を届けに来る顔色の悪い手代がイノだったってわけさ」

「升生は生薬屋だもんな。イノは朝鮮人参ほしさに奉公してるのか」

忠四郎は、北一の言を鼻息でふっとかわした。

「世間知らずもほどほどにしときなよ、兄さん。生薬屋で真面目に働いてたって、平手代の身分じゃ、一年に朝鮮人参の薬包を一つ買うくらいが精一杯だ。目と鼻の先で売ってたって、手が出ねえよ」

だからこそ、イノは気の毒ばたらきで稼ごうとしたのである。

「トミはイノの知り合いで、イノがホントに金を稼いでいるのを知ったら、一も二もなく加わってきたんだ」

湯殿の方から、さっきとは違う野太い声が呼びかけてきた。「釜焚きぃ、ぬるいぞ」

酔っ払ってら。おっさん、酒飲んで熱い湯に入るなよ、死ぬぞ。北一は頭の隅っこで考えた。忠四郎の言うことばかりに囚われたくない。鵜呑みにしてしまいたくない。

喜多次は釜焚きに戻り、忠四郎は地べたに足を投げ出して座り、北一は何だかくたびれてきた。あの指南役の男を捕まえた！　という興奮は、みじんも感じられない。

シロとブチが吠え交わしている。今度は短く、うぉん、うぉん、うぉんの応酬。犬には犬の言葉があるのだろうか。

「最初にこの卑怯な手口を思いついたのは、誰なんだ。あんたか？」

忠四郎はだるそうに首を横に振ると、ついでのように大あくびをした。

「おれは、直には知らないんだ。四年ぐらい前に、年上の辰巳芸者に入れあげてさ。その芸者の情夫だって御家人くずれに引き合わされて――」

最初は忠四郎もイノやトミと同じ、その御家人くずれの男の駒でしかなく、しかし場数を踏んでいるうちに、気がついたら指南役になってしまった。

「稼げるようになったと思ったら、おれの指南役が、置屋に借金を残したままその芸者と駆け落ちしちゃってさ。おれもいきなり押っ放されて、しょうがないから自分で知恵を絞るようになったってわけさ」

その「知恵を絞った」ことについては、忠四郎も自慢に思っているらしい。口調がまた軽くなってきた。

「質屋を抱き込んで、盗んだ金をまず両替するってのは、おれの案なんだよ」

忠四郎がこの長命湯の二階でやりとりしていたのは、けっこう年かさに見えたが六実屋の若主人なのだそうで、

「おれから見ると、おふくろの方の血筋の従兄なんだ」

「あんた、親戚まで盗みに引き込んでンのか」

「だってあいつも、いつまでもクソ親父に頭を押さえつけられて、びた一文も好きに使えないってムクれてたからさあ」

六実屋は、忠四郎たちが盗んだ金目のものを売りさばくことと、小判を小銭に両替すること、二つの役目を担っていた。

分け前として小判を渡し、それをイノやトミがそのまま使ってしまうと、まず間違いなくまわりの目を引き、疑われてしまう。だから、面倒でも重たくても、分け前を刺し銭にして渡すのは重要なことなのだ。

北一は得心し、悔しいがちょっと感心した。忠四郎、確かに頭の回る指南役だ。

「深川元町で焼け出された人たちからは、いろいろ細々と盗んでるが、いちばんでっかい得物は切り餅二つ。だろ？」

忠四郎は返答をしなかった。釜の方に顔を向けたまま、こちらには背中しか見えない喜多次の方へ、ちらりと目を投げる。

釜の奥に炎が揺れている。

「誰の金だったか、知ってるかい」

「そこまでは知らないよ。わからない。盗むときには長居をしないからね」

あの五十両は大事な金だったのだ。版木彫りの作助と女房のおみよにとって、ただ大金であるという以上の意味のある金だった。

「けどさ、岡っ引きの小者の北一さんよ」

皮肉な口つき。挑発的な目つき。急に威勢よく、なぜか真顔になっている。

「ああいう金は、みんな死に金だよ。そうは思いませんかね」

死に金。忠四郎の真剣な、食いついてくるような眼差し。

「火事であれ大水であれ、お救い小屋や仮住まいが建てられるような大変なとき、命大事で逃げてきたって人たちが持ち出してきたものを探るとね」

みんな持ってんだよ、金目のものを。

「そりゃ、必死で持って逃げてきたんだから」

「だったらさ、使えよ！」

忠四郎の目尻がつり上がる。

「後生大事にしまい込んでねえで、住むところを失くしたり、稼ぎ手を亡くしたり、両親揃って亡くしてみなしごになっちまったガキどもを食わせるために、そのお宝を進んで吐き出せっての！」

だが、誰もそうしない。後生大事にしまい込んでいるだけだ。

「いつ使うことになるか、あてなんかねえくせに。自分たちだけじゃねえ、今困ってるみんなで一緒に使おうって思わねえ」

呆れることに、持ち出したものの本当の価値さえ知らないことがある。

「泡を食って持ち出した荷物のなかに、大金がしまってあることに気がついてない。新しい住処が見つかったら、荷物をそのまんま運んでいって、またしまい込んで、金のことは気づかないまんま」

唐突に、忠四郎は吠えた。

「それが死に金でなくて、何だってんだよ！」

焚き付けの山を、その問いかけがわんわんと駆け巡る。何だってんだよ！

「だからおれたちは、その金をお天道様の下に出して、その金でみんなが入り用なものを買って、運んでって配ってやってんだよ」

——大変だったね。布団(ふとん)がない？　任せときな、持ってきてやるよ。赤子(あかご)のおしめは足りてるかい？

その際、ちっとばかり高めの手数料をもらっているだけだ——。

だから、盗みじゃねえって言い張るのか。北一がその問いをぶつけようとする前に、喜多次が何かを釜の奥へ凄い勢いで投げ込んで、

「くそ」

と舌打ちをした。

「火かき棒を投げちまった」

独り言(ひとりごと)のように言う。忠四郎もびっくり、北一も息を呑み込んでから、やっと、

「こ、困るだろ」と小さく尋ねた。

「別にいい。火が消えたら拾いにいく」

それでわかった。喜多次は気を悪くしているのだ。

怒っているのかどうかまでは、わからない。北一はまだそれほどこいつのことを知らない。だけど喜多次は不機嫌(ふきげん)になっている。

立ち上がり、忠四郎の方に歩み寄ると、上から見おろして、言った。

「盗みじゃなくっても、続けていたら、おめえら御番所(ごばんしょ)に捕まるぜ。八丁堀(はっちょうぼり)が目を光らせてるから」

亀の子みたいに首を縮め、背中も丸めて、膝を抱えて、忠四郎はうなずいた。

「うん。よくわかった」

「もう、手じまいにするな？」

「うん」

忠四郎は目元を拭った。別に泣いているわけではないが、今までいちばん気弱な仕草だった。

「おれなんか、商人の家の四男坊だろ。兄貴たちも一緒に四人揃って、無事に育っちまって、ああめでたい。けど、おれにとってはあいにくだよ」

跡継ぎにはなれない。次男は確実に、三男は五分五分ぐらいでのれん分けにあずかれるが、四男となるとまず無理だ。いい養子先でも見つけない限り、無駄飯食いの人生だ。

「そんなおれでも、気の毒ばたらきをやってると、ちっとは世間様のお役に立てていたのになあ」

その意見に異を唱えるように、シロとブチの遠吠えが近づいてきた。この二匹の野良犬は、どうにかして喜多次と意思を通じ合わせているんじゃねえか。

犬たちの声を背中に、喜多次は凄んだ。

「おめえがまたやらかしたら、今度はあいつらをけしかけて、ここへ引っ張ってくるぐらいじゃ済まねえぞ」

「うん」

犬嫌いだという忠四郎に、喜多次はそんな荒技をしかけていたのか。

「それじゃ、この約定の証を出しな」

喜多次のぶっきらぼうという以上の険のある言い方に、北一はまた息を呑む。忠四郎は冷えてかじかんだのか、指の動きがおぼつかない。綿入れの前を開き、袂から何か取り出すのに、えらく手間をくっている。

この約定の証って、何だ。

ごろり。北一の前に、切り餅が転がった。一つ、二つ、三つ。

七十五両。何だよ、これ。

「文庫屋の荷物のなかにあったんだ」

北一の驚きを面白がっているのか、忠四郎の目元が笑っている。

「古い行李でさ、紐でぐるぐる縛ってあった。その紐がすっかり古びて、黴びててな。だけど行李はずっしり重たい。おれの経験じゃ、そういう荷物のなかには金目のものが隠されてることが多いんだ」

その行李も、当たりだった。

「縁が欠けた硯や、汚れた墨壺なんかの下に、麻袋が突っ込んであった。開けてみたら、切り餅が四つ入ってたんだ」

そのうちの一つ、二十五両はもう使ったり分けたりしてしまった。だから、残りは神妙に返す。それが、もう気の毒ばたらきはやりませんという約定の証だ。

「――嘘だ」

北一は強く言った。あんまりいい、きんだので、舌を嚙みそうになった。

「万作とおたまの店になってから、文庫屋は売り上げが下がる一方だった。こんな蓄えがあるもんか！」

しん。釜の火も鎮まってきて、闇も静かで。

「誰も、今の文庫屋の金だとは言ってませんよ、千吉親分の下っ引きさん」

忠四郎のにやにや笑いが大きくなる。

「文庫屋の夫婦も、この金には気づいちゃいねえ。もともと知らなかったんだろうよ。火事のとき、手近にあったものを片っ端から奉公人たちに運び出させたんで、中身なんかわからないものもあったんでしょうよ」

木置場の仮住まいに移ってからも、おたまは番屋に引っ張られるし、万作は煙を吸って具合が悪くなるしで、いちいち荷物を開けて検分する暇がなかった。

「こいつは千吉親分のへそくりに違いねえ」と、忠四郎は言った。「岡っ引きってのは、良いことでも悪いことでも、表に出ない金を稼げるもんでしょ？　ずいぶんと評判のいい、人たらしの親分だったそうだから、そういうところも抜け目なかったんじゃねえのかなあ」

　忠四郎のなめらかな口舌が、いちいち北一の心をえぐる。頭の中が、燃えさかっていたときの湯釜の奥のように熱くなった。

「うるせえ」

「兄さんはホント、世間知らずで可愛いねえ」

「黙れ」

「じゃ、この金は兄さんたちのもんだから、お受け取りくださいよ」

「黙れ！」

　北一が怒鳴ると、それを聞きつけたみたいに、ひたひたと足音が近づいてきた。焚き付けの山のあいだをすり抜けて、シロとブチが姿を現す。二対の眼が底光りを放つ。

「おっと、やあ、わんこちゃんたち」

忠四郎は両手を胸の前に上げて、座ったまま器用にへっぴり腰になる。シロが唸り、ブチが牙を剝く。

喜多次が腰をあげ、忠四郎に声を投げた。

「いいな。約定を守らなかったら、次は犬の餌だ」

乱れた長い前髪の隙間から、喜多次の片方の目が覗いている。シロにもブチにも負けぬほど、冷たく底光りする眼が。

忠四郎は額や頰が光るほどに汗をかき、ぶるぶる震えるくちびるを動かして、言った。「がってん、承知の介でございます」

喜多次は犬を追っ払うように手を振った。忠四郎は尻っ端折りせんばかりの勢いで立ち上がると、風のように逃げ出した。

「お〜い、おい、釜焚きや〜い」

湯殿の方から、苛立たしそうな男の声。

「今夜はどうしたんだよ。ぬるくて寒くていられねえ。もっときりきり焚けや！」

立ち尽くす北一と喜多次のあいだに、謎めいた落とし物のように、切り餅が三つ転がっている。師走の風が通り過ぎ、シロとブチの尻尾が揺れた。


〈「気の毒ばたらき」了〉

松籟邸の隣人

第十八回

宮本昌孝

Miyamoto Masataka

第十五話　再変、発火

「お加減はまことによろしい。あとは、いつも申していることだが、夏は食が細くなりやすいゆえ、そこはしかと気を配るようにな」

「承知いたしました」

「かまえて仰せの通りにいたします」

診察を了えた松本順と、士子付きのふたりの看護婦とのやりとりである。

「では、先生。ご一服を」

士子自身が、勧め、先に立って導く。松籟邸に往診にきてくれる順と、診察後にひとしきり世間話などして過ごすのは、いつものことである。

「鮮やかに咲いておりますなあ」

縁側へ出た順が、陽当たりの良い庭の低木の花に目を惹かれて立ち止まる。

「梅雨に洗われた葉の緑が瑞々しいので、よきコントラストになっていると存じます」

細長く肉厚の葉叢の中で、枝先に集まる桃色の八重咲の花は、夾竹桃である。

「士子さんからさように自然に英語が出てくるとは、やはり茂くんの影響ですかな」

「茂ばかりか、お隣の皆様が一層ご堪能でいらっしゃいますから」

「さようでしたな」

「近頃は世間も英語流行りとか」

わけても横浜では、警察署や裁判所が英語研究を始め、英語学校も規模を広げたり新たに設立されたり、また、車夫や馬丁などは仕事に必要な単語ぐらいは発せられるなど、流行の最先端をいっている。士子は茂からそう聞かされた。

「内地雑居が始まるまでに準備をしておきたいのでござろう」

陸奥宗光の辣腕によって諸外国と結んだ改正条約の実施は、明治三十二年七月からである。ちょうど二年後のことだ。実施されれば、居留地のみの居住と、開港場より十里四方の移動しか許可されていなかった外国人が、今後は内地、つまり日本国内いずこの地でも住めるし、旅行も自由にできる。

日本中で商売でも日常生活でも外国人と接する機会が増えるからには、いまから英語を学んでおきたいと思うのは人情だろう。その流行は横浜から全国へ広がりつつあるのだ。

応接間の前の廊下に端座して待っていた執事の北条が、障子戸を開ける。

士子と順が和室の応接間へ入って座に着くや、女中ふたりが茶菓の膳を捧げ持ってくる。

女中らが退がると、茶をひと啜りしてから、順が言った。

「茂くんは学習院で学びたいそうですな」

「はい。もはや趣味のようにございます、学校遍歴が」

茂は、昨年九月に東京物理学校へ入ったが、どうにも肌に合わない、とすぐに退学してしまう。次いで、慶應義塾に籍を移しても、こちらもしっくりこなかった。

いまや後世で言うところの浪人生である茂本人の口から、学習院中等科への編入をめざしていると順が聞かされたのは、この明治三十年六月である。先月のことだ。

東京は新富町の五代目尾上菊五郎の屋敷で、順と茂は会った。順が開いた大磯の海水浴場にも、茂の亡き養父・健三にも、浅からぬ関わりをもつのが菊五郎である。その養子である二代目尾上菊之助が亡くなったので、順は大磯から、茂も横浜から通夜に駆けつけたのだ。

早くから若衆役で人気を博し、六代目菊五郎を襲名するはずだったのが、養父の菊五郎に実子が誕生してから、菊之助の人生は狂いだす。幼い義弟の乳母と理ない仲となり、激怒した菊五郎に勘当されて、どさ回り役者へと転落した。これを歌舞伎界の重鎮である十二代目守田勘弥が憐れみ、その仲介によって尾上家に復縁してからは、再び養父に期待をかけられた菊之助だが、惜しいかな三十歳の若さで逝ってしまった。

のちの昭和時代に、村松梢風が自作の短篇小説を戯曲化し、新派の舞台で演じ

前回までのあらすじ

吉田茂は父・健三が亡くなったため、若くして吉田家の当主になる。藤沢の耕餘塾を卒業し、東京で暮らすことになった茂は、実父の竹内綱の屋敷に住み、学生生活を送っていた。夏休みになり、茂は母のいる大磯に戻り、外相・陸奥宗光の許を訪ね、隣人で友人の天人と陸奥宗光夫人・亮子の馴れ初めを聞く。翌年、尋常中学校を卒業した茂が再び大磯へ帰ったとき、孤児だった天人がシンプソン家の養子になった経緯が明らかになる。そんな折、紀州徳川家の姫が襲われる。助けたのは天人だった。

られて大当たりをとった悲恋物『残菊物語』の主人公のモデルは、この菊之助である。

「茂くんは賢いお子ゆえ、先を見据えて思うところがあるのでござろうが、通夜の席では学習院を選んだ子細までは聞けませなんだ」

この夏が到来してから、順は大磯と東京を頻繁に往来するなど、まことに忙しく、茂とは菊之助の通夜以降、まったく会っていない。きょうは、ようやく時間がとれて、士子の往診にやってきた。

「先生にはいつも茂のことをお気にかけていただき、本当にありがとう存じます」

「大磯の発展に大いに寄与してくれた健三さんのお子じゃ。わしにとっては孫みたいなものと思うておる」

「勿体ない」

「して、学習院のことは」

「四月の末でしたか、茂は牡丹寺で僥倖に恵まれたのでございます」

士子は、茂が学習院で学ぶと思い決めるきっかけとなった出来事を、語り始めた。

「壮観だなあ」

紅、白、黄、淡紅、紅紫など、色とりどりの大輪の牡丹の咲き誇る境内を、田辺広志はその場でくるくる回りながら見渡している。

「香りも、すごいや」

鼻からめいっぱい空気を吸い込んで、広志はさらに感動する。

「来てよかっただろ」

と吉田茂は満足そうだ。

ふたりは薬王院(やくおういん)を訪れている。場所は豊多摩郡下落合村(とよたまぐんしもおちあいむら)、後年の地名では東京都新宿区下落合である。

鎌倉時代創建の薬王院では、奈良の長谷寺(はせでら)より移植の牡丹が、永い年月の間に種類も株数も増やして、毎年四月下旬から五月上旬にかけて絢爛豪華(けんらんごうか)に花開くのだ。大きい花は人の顔ぐらいはある。そのため、一般には牡丹寺の俗称のほうが通りがよい。

ちょうど見頃(みごろ)のいま、境内は大勢の行楽(こうらく)客で賑(にぎ)わっている。

「こんな黒い牡丹もあるんだな」

広志が顔を寄せてまじまじと見つめる花の色は、たしかに黒く見える。

「それ、名は黒牡丹だけど、よくよく見れば、色は濃厚な真紅(しんく)だよ」

吉田茂は、昭和の戦後、政界を引退してから松籟邸にバラ園や「蘭の間」と称(よ)ばれた温室などを設(もう)けるが、若い頃より花好きだったのだ。

「閻王(えんおう)の口や牡丹を吐(は)かんとす、ってこんな牡丹だね、きっと」

と茂がつづけ、

「なるほど、閻魔様の口か。面白いな。小林一茶の句だろ」

当てずっぽうに、広志が言う。

「与謝蕪村だよ。蕪村は牡丹が好きで、地車のとどろとひびく牡丹かな、なんていうのもあるよ」

「牡丹散りてうちかさなりぬ二三片」

背後で蕪村の句が詠まれたので、茂は振り返る。

「蕪村の牡丹の句は佳い」

羽織と着物が対の大島紬に身を包み、髭をきれいに整えた壮年の、品よき顔立ちの男である。帯に懐中時計を挟んでいる。きっと上流の名士に違いない、と茂は即座に察した。

「きみたちは学生かね」

と男に訊かれた。

「彼はサフランの栽培に精を出していますが……」

茂は、広志をちらりと見やってから、

「ぼくは、なんというか、風来者です」

笑顔で胸を張ってみせた。

「きみは、学問は嫌いということかな」

「いいえ、その反対です。大好きです」

「身形も行儀も良いように見えるが、無礼を承知で申せば、もしや家が貧しくて、学ぶ機会を得られぬ、と」

「金持ちです、こいつ」

　間髪を容れず、広志が明かす。

「学は立志より要なるは莫し。而して立志も亦之を強うるに非ず。只本心の好む所に従うのみ」

　滔々と茂は告げた。

　目標を立て、心を奮い立たせることが、学問するにおいては何より肝要だが、心を奮い立たせるというのは、他者から強制されるべきことではなく、己の本心に従ってこそのもの、という意である。

「無礼をお恕し下さい」

　広志が慌てて男へ謝った。

「こいつ、誰彼になく、こういう妙ちきりんなこと言って楽しむのが好きなおかしな奴なんです」

「妙ちきりんではない。佐藤一斎先生の教えゆえな」

と男が茂に向かって微笑(ほほえ)んだ。

「佐藤一斎をご存じなのですか」

「幕末の大儒者(だいじゅしゃ)じゃ。御著作はわたしも読んでいる」

「一斎はぼくの母の祖父です」

「なんと……」

「申し遅れました」

茂は、天人にプレゼントされたパナマ帽を脱(ぬ)いでから、名乗った。

「ぼくは吉田茂と申します。こっちは田辺広志」

広志も、ぺこりと頭を下げる。

応じて、男は、微笑みを絶やさず、名を告げた。

「近衛篤麿(このえあつまろ)と申す」

「まさしく僥倖ですな。公爵(こうしゃく)は下落合にお住まいゆえ、きっと散歩がてら牡丹を愛(め)でておられたのでは……」

目を丸くした順である。

「お察しの通り、公爵さまみずからそのように仰せられたそうでございます」

五摂家(せっけ)筆頭・近衛家の第二十九代当主・近衛篤麿公爵は、皇室とは格別の関係にあり、おもに華族子弟を教育する学習院の院長をつとめているのだ。

「そして、まことに光栄なことに、きみが前途に迷うているかどうかはともかく、学問が好きならば尾張町へ学びにきなさい、と公爵さまおんみずから勧めて下さった由」

学習院は四谷尾張町にある。旧尾張徳川家の広壮な上屋敷のあったところと周辺地域に、その町名が付けられた。

「尾州の侯爵さまも東小磯に別荘を構えておられ、畏れながら、ご息女の晨子さまのことは、高麗山の事件以来、茂も存じ上げておりますし、この大磯の地が茂を学習院へと導いてくれたような気がいたします」

「よきかな、よきかな」

と順も心より喜んだ。

「生々発展をつづける地には利運も訪れるということにござろう」

よい巡り合わせのことを、利運という。

「なにせ昨年秋からこの春までに、鍋島侯爵に始まり、茂くんのことをよくご存じの中島信行男爵、陸奥宗光伯爵を敬愛される原敬・元駐朝鮮公使、松方内閣で外務大臣・農商務大臣ご兼任の大隈重信伯爵、と錚々たる方々が立て続けに別荘を建てられましたからな。大磯は有卦に入っていると申してよいかと存ずる」

有卦に入るも、よい運命に巡り合わせる、好運を摑む、調子にのるといった意である。

士子が、口を押さえながら、少し声を立てて笑った。

「わしは何かおかしなことを申しましたかな」

「あまりに自慢げでいらっしゃるので……」

「あ、いや……これはお恥ずかしい」

「それでも、われながら自慢が過ぎるとお思いになられましたのでしょうか。あとおひとり、いちばん大事な御方の名をお挙げになられませぬ」

「敵わぬ、士子さんには」

順は、禿頭を撫でながら微苦笑した。

大磯が日本一の避暑地、別荘地として全国に名を馳せ、より多くの人々が訪れるようになることが、海水浴場開設以来の順の悲願である。そのためには、日本の初代総理大臣で庶民の人気も高い伊藤博文に大磯に住んでもらうことが最善の策と思惑し、天人のアイデアにより招仙閣へ伊藤と元勲内閣の面々を妻女同伴で招き、陸奥亮子に頼んで伊藤夫人の梅子を口説かせるなど、じわじわと画策してきた。

そうして順の蒔いた種がついに実を結んだ。伊藤は小田原から大磯への移住を決し、上郎幸八より購入した西小磯の稲荷松の地に、第二次伊藤内閣の首相辞職三ヶ月後の昨年十一月、まずは大きな日本家屋を建てたのである。そのとき、順は快哉を叫んだものだ。それから引き続き工事は行われ、いまや立派な洋館の建設も了って、滄浪閣が完成した。

ただ、完成後、初めての夏なのに、多忙な伊藤は大磯へ来ることができない。ヴィクトリア女王即位六十年式典に天皇の名代として参列する有栖川宮威仁親王に随従してロンドンへ行っており、今頃ようやく帰航の途次と思われる。子宝に恵まれなかった兄・熾仁親王の薨去後、有栖川宮家を継いだのが威仁親王である。

「松方内閣が進歩党と折り合いをつけられそうにないゆえ、伊藤侯爵は近いうちに必ずまた首相に復帰されることと存ずる。いよいよ大磯の時代ですかな」

と順は満足そうだ。

昨年、立憲改進党など五党派と一部の無所属議員が合同して結成されたのが進歩党であり、党首職は設けなかったが、盟主というべき存在は大隈重信である。発足当初、代議士の総数の三分の一を占め、党員数も五万人を数えて、一大勢力となった。松方内閣も進歩党と提携し、その党人を多く地方の要職に就任させたり、政策論議にも参加させたが、このところ雲行きが怪しいのだ。

「聞くところによれば、伊藤侯爵さまは本籍も大磯に移されるおつもりとか……」

「年内には、と期しておられるようです。この地を心よりお気に召したと存ずる」

「実現すれば、大磯の人々にとって朗報にございますね」

現実に、この年の十月一日に伊藤博文は本籍を大磯に移す。

「けれど、一方で憂い事も……」

士子は言葉を濁した。それだけで察せられた順も、一転して、顔色を曇らせる。

「さようですな。医者としてまことに情けないが、持ち直してくれるよう祈るばかり」

陸奥宗光のことである。ハワイから帰国後、陸奥はまた体調を崩し、いまは東京の西ヶ原の屋敷で療養中なのだ。妻の亮子が付き切りで看病にあたっている。

「茂がこのところ東京から戻りませぬのは、心配で仕方ないからにございましょう」

「茂くんは一度、西ヶ原へ見舞いにきたが、門前で帰らせたと亮子さんが言っておられた。折しも陸奥卿が喀血された直後だったのでござる」

「奥方さまは茂の身を気遣って下さったのでございますね」

陸奥は肺病なので、茂への感染を亮子は恐れたのだ。

「別れ際、亮子さんは茂くんにこう告げた、と陸奥家の女中より聞き申した。禍福は天にあり」

「陸奥亮子さまらしい……」

もとより、多くの書に親しんできた士子には意味が分かる。禍や幸福は天に与えられるもので、人の力を超えたもの、という意だ。

亮子にはとうに覚悟ができているのだ、と士子は痛ましく思った。

「大磯へ帰って母上に元気な姿をみせる。いまの茂くんに、ほかにすべきことは何もないとも亮子さんは諭された」

「ありがたいことにございます」

「それゆえ、近々に茂くんは帰ってまいりましょうぞ」

順が懐中時計を手にとって文字盤を見た。

「慌ただしくて申し訳ないが、これにて辞去いたす」

実は、陸奥だけではなく、十二代目守田勘弥と後藤象二郎も目下、体調不良だった。心臓病の後藤は、大磯ではなく箱根の別邸に留まっているので、陸奥と勘弥のいる東京ばかりか、箱根へも往診に出向かねばならない順なのだ。夏に入って忙しいのは、そういう理由である。

士子が卓上の呼び鈴を鳴らした。

真鍮製の呼び鈴は、スタンドに常春藤を象った英国製である。奉公人たちが邸内のやや遠めの場所にいても、高い音が届くので、士子は重宝している。士子が大きな声をあげなくて済むように、と天人がプレゼントしてくれたものだ。

すさかず応じて、障子戸が開けられ、北条が顔を出した。

「松本先生がお帰りになられます」

という士子の一言をうけて、北条が順を門前まで導いて見送るのも、そこに人力車を待たせてあるのも、いつものことである。車夫も馴染みのどんじりだ。

門前では、そのどんじりが誰か見知らぬ者と話している。麦稈とも称ばれる麦藁帽子に、筒袖、短袴、下駄履きの若い男だ。

北条と順が寄っていくと、ふたりに気づいた男は、逃げるように足早に去っていった。

「どんじり。知り人か」

と北条が訊いた。

「いや、知らねえ野郎です。なにやら胡乱なようすで、二号国道からこっちへ入ってきたんで、何か探してるのかいって声をかけたら、大隈の別荘はどこだって訊きやがるんでさあ。だから、お前さん、伯爵さまでもある大臣を呼び捨てにしちゃあいけねえよって、こっちは穏やかに言ったんでごぜえやす。そしたら、あの若造、こっちを睨みつけて、にわかにわけのわからねえ一言を吐きやがって、そんとき、先生と北条さんのお姿が見えたんでごぜえやす」

「わけのわからない一言とは」

「それが、ええっと……」

思い出そうと、おのが額を叩くどんじりである。

「たしか……ぞうの……きりわく。そうだ、ぞうのきりわく、って」

「あの大きな動物の象かの」

北条は首を傾げたが、

「筑前弁じゃな、たぶん」

と順が頷きながら言った。筑前といえば、いまは福岡県である。

「さすが、松本先生だ。で、どういう意味にございやしょう」

「臓、つまり、はらわたがきりきりと軋むように湧く、煮えくり返る。筑前者がよほど腹を立てたときに発する一言じゃ」

「あの若造、あれくれえのことで、そんなに……」

呆れるどんじりである。

「大隈卿は陽気で豪快ゆえ平民の人気が高いが、政治家としては嫌う者も少のうない。まあ、万人に好かれる政治家なぞいるものではないからな、致し方あるまいよ」

「そう言やあ、お足を失っておられやすもんなあ、大臣は」

どんじりが言いたいのは、誰もが知る大隈重信暗殺未遂事件のことである。

その当時も外相として条約改正に不退転の決意で取り組んでいた大隈は、改正を屈辱外交とみなす国家主義団体・玄洋社の一員である来島恒喜の襲撃を受けたのだ。爆弾で重傷を負った大隈は、右足切断を余儀なくされた。これにより、政府は外国との改正交渉を中止せざるをえなくなり、時の黒田内閣も総辞職に至る。

　大隈の手術の執刀には、ドイツ人医師ベルツを中心に、幾人かの日本人医師も加わったが、その中に、いま大磯に別荘をもつ高木兼寛と橋本綱常もいた。橋本は松本順の愛弟子でもある。

　事件は八年前の明治二十二年十月十八日のことだった。

「身共もよく憶えており申す、犯人の自害の凄惨さも世に伝わりましたので」

と北条も順に言った。

「そうじゃったな。あの来島という者も……」

　そこで、ふいに順は言葉を途切れさせ、思案顔になった。

「先生。いかがなされました」

訝る北条にも返辞をせず、ふうむ、と吐息を洩らした順である。

「どんじり。ちょっと警察署へ寄ってくれ」

と言いながら、順が俥に乗り込んだ。大磯警察署は南本町にある。

「へえ、お安い御用で」

　北条もどんじりも、順には何か気になることがあるのだと察したが、詮索はしなかった。

順を乗せ、どんじりの曳く俥が二号国道に土埃を立て、東小磯を通過する頃合い、実は茂は広志と共に、すぐ近くにいた。国道から海側へのびる小道の途中、槌音を響かせる屋敷の前である。

「まだ普請中なんだね」

「概ねできてるそうだけど、神代杉を使うところは手間をかけるらしい」

大隈重信の別荘を木立越しに覗き込んでいるのだ。

神代杉というのは、水中や土中に埋もれて長年月を経た杉材のことで、木目が細かくて美しいことから、おもに工芸品用に珍重される。それを家屋に用いるのは贅沢というものだが、土地の投機などで潤う大隈には微々たる出費でしかない。

「五右衛門風呂付きの離屋も建てたそうだ」

と広志が付け加える。

「大隈卿は風呂好きだって聞いたことがある」

東京から大磯へ戻ってきた茂は、松籟邸に帰り着く前に、広志の案内で東小磯の別荘地へ寄り道しているのだ。このあと、西小磯に建てられた伊藤博文の滄浪閣も外から見物するつもりでいる。

「吉田くん。このさい、早稲田も受けてみたら」

東京専門学校（早稲田大学の前身）の創立者である大隈の教育理念に基づき、坪内逍遥らが創設した早稲田中学校のことだ。

「学校遍歴王、吉田茂」

誰かに紹介するごとく、茂のほうへ腕を差し伸べる広志である。揶揄い気味だ。

「やめろよ。もう学習院って決めたんだから」

「どうだか。またすぐ辞めちゃうんじゃないのか」

「それより、そっちはどうなの、サフラン」

「おお、よくぞ聞いてくれた。辰五郎さんはいよいよ今年の十二月、横浜衛生試験所へサフランの試験方を出願するつもりだ」

国府本郷村の添田辰五郎の薬用サフラン栽培を、広志は手伝っている。

「田辺くんは実業家への第一歩だね」

「しかし、大隈大臣は大磯へ避暑に来るのかなあ。足が大変なんだろ」

「そんなの平気だよ、きっと。ご自分の足を吹き飛ばした犯人のことを褒めるような剛毅なおひとだから」

事件後、しばらくして、大隈は犯人のことを、憎いやつとは寸毫も思わず、と言ってのけた。

突然、茂と広志は、背後から、その怒号を投げつけられ、驚いて振り返った。

ふたりは知らないが、先刻、松籟邸の門前でどんじりと言い合いになった男である。

「年忌法要への参列なぞ、大隈得意の政治的な見せかけにすぎぬわ。まことに来島恒喜どのに感心したのなら、二度と外相の任には就くまいぞ」

「くるしまなんたらって誰だ」

広志が小声で素早く茂に問うた。

「爆弾犯だよ」

茂も囁き声で応じる。

「目が血走ってる。逃げたほうがいい」

相手を狂人とみて、広志が言うと、同意の頷きを返した茂はカウントダウンする。

「スリー、ツー、ワン」

息の合った両人は、同時に駆け出した。一目散だ。

二号国道へ出る直前で、茂が振り返る。

「大丈夫だ、田辺くん。追ってこない」

ようやく安心したふたりだが、それでも念のため、路傍に見つけた棒切れを広志が手にする。

それから、二号国道をぶらぶらと西小磯のほうへ向かった。

「大磯に名士が増えるのは歓迎だけど、同時にああいう輩も増えるんだろうな」

と広志がちょっと溜め息をつく。

「まあ、幕末、維新の功労者たちっていうのは、いまだに敗者の側から恨まれてるだろうし、伊藤卿や大隈卿のように政府で重職を担うひとならなおさらだよ」

茂も広志に同意した。

「吉田くん。総理大臣をめざすなんて考えものだぜ」

「だから、そんなこと、ぼくは言ってないから」

「でも、国を動かす人間にはなりたいんだろ」

「外交の仕事はしたいと思ってる」

「それみろ、危ない仕事じゃないか。外務大臣は爆弾で吹っ飛ばされるんだぞ」

「外相がみんな吹っ飛ばされるわけじゃないよ」

「物騒な話ですね」

また後ろから声をかけられ、広志がとっさに振り向きざまに棒切れを振り、茂はその背後へ素早く身を移した。

「あっ……」

棒切れを繰り出した右の手首を摑まれた広志も、その背越しに顔を覗かせた茂も、同時に声を発している。意外とも、そうでもないともいえる相手だった。

「天人っ」

茂が喜びを露わにする。

「広志。いったん前へ跳んでから振り向きなさい。相手をたしかめもせず、闇雲に武器をふるうと、傷つけたくないひとまで傷つけてしまいます」

「ごめんなさい。おれ、殴り返されなくてよかったあ」

広志は手首を解放され、安堵の息をつく。

「また旅に出てたんだよね」

と茂が言う。今年に入って、天人には初めて会ったのだ。

実は、天人はアメリカに滞在していた。いつも通りピンカートン探偵社やキャシディ家の動きを探るのとは別に、ハワイ併合の件で、日本が何か行動を起こす前に早々に日本政府へ友好的な回答をするよう、有力者たちへ根回しするなど、〝結の人〟の任も果たした。

ハワイの問題については、天人はグラント将軍の日本訪問の二年後から関わっている。

一八八一年（明治十四）、当時はまだ王国だったハワイのカラカウア国王が、日本人移民の件でみずから訪日したさい、ひそかに天皇に面会して、自身の姪と山階宮家との縁組を持ちかけ、日本を対アメリカの共闘国にしようとした。いかにすべきか見当もつかなかった天皇は、熾仁親王と天人が交換する書簡の中で、まだ存命中のグラント将軍に相談し、現時点の日本がカラカウア国王の申し出を受諾するのは危うすぎる、という忠告を貰って、縁組のことはうやむやに済ませた。

天人は、一八九三年に日本が巡洋艦をハワイへ派遣したときも、現地で日本人が関わるどんな小さな交戦も起こらぬよう、陰で苦心したのだ。

むろん、それらのことを、天人は茂には一切語らない。

「あちらこちらへ」

穏やかにそう言って、微笑んだだけである。

「ふたりとも、あとで一緒に松本先生のところへ行きますか」

たったいま大磯警察署の前で松本順に遭遇し、妙大寺に隣接の松本邸で夕食を共にするよう誘われたことを、天人は明かした。

「もちろん行くよ」

と茂は喜んだ。陸奥宗光の病状についても詳しく知りたい。

「おれは辰五郎さんと約束があるんだ」

ひとり残念そうな広志だった。

夏の夕暮れに、敷地四千坪という大隈重信の別荘から洩れてくるのは、野太い放歌である。

大隈が、前触れもなく、数十人の青年を引き連れて大磯へやってきたのだ。かれらは皆、東京専門学校の卒業生である。

であるんである　であるんであるんであーる　であるんである　であるんであるんであーる

大隈みずから富士の間と名付けた大広間では、おかしな歌詞を大合唱しては、青年たちは大口を開けて大笑いする。「であるんである」は大隈が好んで用いる言い回しなのだ。

「お前ら、学問の大恩人を愚弄するとは何事かあっ」

主役の大隈に怒号を投げつけられ、一斉に黙った青年たちだが、

「恕さんのであるんであーる」

と大隈がつづけたので、冗談と分かり、どっと哄笑する。

大隈は、大盃の酒を、ぐびぐびとひと息で飲み干してから、立ち上がった。当時の日本人としては長身の百七十五センチメートル超えで、恰幅もよいため、巨大な熊が後ろ肢で立ったように見える。

「湯に浸かってくる」

すかさず、幾人もの青年が、お供します、と大隈の体を支えようとする。

「無用。きょうはお前らは客だ。呑んでおれ」

退がれ、というふうに大隈は手を振ってから、声を張った。

「番頭さ……」

さん、と言い終わらぬうちに、

「ここにおりますよ」

いつのまにか寄り添っていた小柄な女の手が、巨体に添えられている。

妻の綾子である。政治家として慎重さを欠く大隈を出世させた賢妻として知られ、大隈自身も、綾子がいなければ何もできないので、「うちの番頭さん」と称んで、頭が上がらない。

江戸の旗本家出身の綾子は、傑出の幕吏として官軍に最後の最後まで抵抗して処刑された小栗上野介忠順と従兄妹の関係にある。維新後、その忠順の遺児・国子や、佐賀の乱を起こして逮捕、斬首された初代司法卿・江藤新平の遺児・新作を、周囲の反対を押し切って、いずれも一時期引き取って世話をするなど、鋼の心をもつ女傑でもある。

大隈の体を支えながら、玄関を出たところで、綾子は夫の着物を尻端折りにし、右手に杖(つえ)を握らせる。右の義足(ぎそく)が露(あら)わになった。

「要(い)らん」

右足切断から八年、義足には馴(な)れたので、いまでは杖(つえ)なしでも歩ける大隈である。

「初めての場所では、必ず杖を使うことと幾度も申し上げましたはず」

「そうじゃったな。すまん、すまん」

一部をいまだ普請中のこの別荘に大隈がやってきたのは、きょうが初めてである。風呂(ふろ)付きの離屋は南側の庭に建てられており、二十メートルばかり下らねばならないから、たしかに、馴れないうちは足許(あしもと)が危ういだろう。

ただ、庭の木々や草地は手入れが行き届いている。別荘を建てると決めたときから、綾子が東京の庭師を遣(つか)わしたのだ。

女中がふたり、提灯(ちょうちん)で大隈夫妻の足許を照らしながら先導する。まだ幾分、夏の夕陽(ゆうひ)の残光に被(おお)われてはいるが、綾子は念のため女中らに命じた。

「松をもっと植えたほうがよいな」

離屋の向こうの松林は、防風、防砂の用に立てるには木々の間が些(いささ)か広いように、大隈には見える。

「とうに植えてございます」

綾子が言った。

「そうであるのか」

「なれど、松は、天から神様が降りてくるのを〝待つ〟と申すくらいで、生育には永い歳月を要しますゆえ、この先、幾十年と大磯へまいりませぬと」

「それなら案ずるに及ばぬ。我が輩の寿命は、あと六十年以上あるんである」

いま満五十九歳の大隈だが、人間には百二十五歳まで生きられる能力があるのだ、と常々公言している。二十五年を五回という計算らしいが、余人には理解し難い。

「さようでございますね」

綾子は嬉しそうだ。

離屋に入ると、女中らを居間に残して、夫妻は浴室へ身を移した。天井が高く、湯気抜きの窓も設けられており、広さは洗い場も含めて四畳半ほどもある。

大隈が湯を所望する頃合いを、綾子が見計らって、すでに沸かしておいたので、浴槽からは湯気が立っている。

大隈の体格に合わせた大きな五右衛門風呂だ。竈に据えつけた鉄の大鍋に木製の浴槽を嵌め込み、下から薪を焚いて沸かすという構造である。

沸いているのは、真水ではなく、海水だ。松本順の提唱する海水浴療法を取り入れている。

「夏ですから温めにしてございますが、温くなりすぎましたら、仰って」

大隈の脱衣を甲斐甲斐しく手伝いながら、綾子が告げる。呼ばれたら、新たに薪をくべるのだ。

素っ裸になった大隈は、義足をつけたまま、用意の下駄を履いて、浴槽の縁を跨ぎ、湯面を被っている大きな円形の板を踏んで、これを下へ押しやりながら、同時におのが身も沈めていく。この板は、沸かすときは蓋板として用い、湯に浸かるときは底板とする。五右衛門風呂の特徴である。

大隈が肩まで浸かると、浴槽から湯が溢れた。

「極楽じゃ、極楽じゃ」

夫のその至福の声を聞いてから、綾子は浴室を出てゆく。

このとき、海側の松林を抜けて、抜き足差し足で離屋へ近づく者がいた。

数日前、松籟邸の門前でどんじりに暴言を吐き、この大隈の別荘前でも茂と広志を怒鳴りつけた男である。暑いのか、それとも緊張でもしているのか、額の汗が夥しい。

男は、離屋の板壁に体を寄せて、しゃがんでから、仰ぎ見た。高い位置にある湯気抜き窓が開いている。

「おおい、番頭さん」

大隈の胴間声が洩れてきた。男は、びくっとして、身を強張らせる。

すぐに、引き戸の開けられる音がした。

「焚きますか」

「一緒に入らぬか、綾子」

「何をばかなことを」

「もう永いこと、綾子の肌に触れておらん」

「わたしを幾歳だと思うているのでございますか」

「我が輩よりはずっと若い」

「伊藤さんを見習いなされ」

伊藤博文の妾は数知れずといわれている。

ぴしゃりと引き戸が閉められた。

「可愛いのう、番頭さんは」

くすくす、と大隈は笑った。

男は、ふうっとひと息ついてから、懐より短い棒状のものを取り出した。一方の先端から紐のようなものが出ている。

ダイナマイトだ。まだ日本では製造されておらず、輸入でなければ入手できない高価な爆破薬である。

次に、男はマッチ箱を手にすると、中から一本、マッチ棒を抜き、あらためて湯気抜き窓を見上げる。あそこへダイナマイトを放り込むつもりなのだ。

震える手でマッチを擦った。が、うまく火が点かないので、捨てる。

二本目も三本目も発火しない。

「くそっ……」

男から焦りの一言が洩れる。

四本目で、ようやくマッチは発火した。

ダイナマイトの導火線へ火を寄せたそのとき、腕を摑まれた。

マッチの火も、ふっ、と吹きかけられた息で消えてしまう。

「誰……」

声を上げそうになった男だが、口を押さえつけられる。

「信楽館の与平太さんですね」

そう言ってから、男のこめかみに拳を食らわせたのは天人である。

気を失った男を肩に担ぎ上げて、足早にその場をあとにする天人の姿は、訪れた夕闇に紛れた。

「シンプソンくん。礼を申す」

翌日の午後、松本順が五色の小石荘を訪れ、天人に感謝した。

「何も起こらなかったのです。礼には及びません」

いつものように飄々乎とした天人である。

「先生。あのひと、またやらないかな」

茂が不安そうに順に訊いた。大隈重信をダイナマイトで爆殺しようとした与平太という男のことである。

「今朝、大隈伯から諭されて大泣きしたというから、二度とやるまいよ」

順は、松籟邸の門前でどんじりが接した男の〝そうのきりわく〟という筑前弁から、もしや来島恒喜も筑前のひとではなかったかと思い、大磯警察署へたしかめに行った。同署の古株に、かつて東京勤務だった者がいることを思い出したからである。

その古株の署員は、大隈重信暗殺未遂事件のことをよく記憶していた。たしかに来島は旧筑前福岡藩士だったという。

外務省の表門あたりで、大隈の乗る馬車へ、来島は爆弾を投げつけ、見事に炸裂したので、濛々たる白煙の中で見定め難かったものの、暗殺は成功したと思い、ただちにおのが首を短刀で深く半分まで引き回して、凄絶な自害を遂げた。しかし、大隈は一命をとりとめていた。

実は、事前の計画では、同じ旧福岡藩士の月成功太郎という者がともに襲撃するはずだった。しかし、老母と妻子がいる月成を、友として巻き込みたくなかった来島は、彼に嘘の決行日を告げておいて、単独で大隈を襲撃したのである。そのことで悶々たる日々を送る月成が弔い合戦をするのではないか、と警察は勘繰ったが、結局、事を起こす兆しはなかったので、警戒を解いたという。

それを聞いて、順は、筑前弁の男は月成に相違ないと思った。だが、若い男だったと言うと、それでは年齢が合わないと署員に否定された。

それで順は、なおも署員に当時の記憶を辿ってもらい、ある確信に至る。

上京した来島が宿をとったのは、芝愛宕町の信楽館だった。ここで丁稚奉公中だったひとりの少年が、事件直後に辞めている。

与平太という名の少年は、故郷に目の不自由な母親と幼い弟妹たちを残しており、お金が必要だった。与平太が同郷と知った来島は、有り金をすべてくれてやった。その後、風の噂では、母親はすぐに亡くなったが、与平太は来島より頂戴したお金を、小さな投機で増やし、弟妹たちを働ける年齢まで育てたらしい。

与平太は故郷でやるべきことをやり遂げたので、宿願だったに違いない来島への恩返しのときがきたと思い決した。そう順は想像し、確信したのだ。

右のことを、順は天人を夕食に招いて告げた。大隈の別荘前で与平太と思われる男と会っている茂にも、これを明かした。順は、このところ落ち着かない日が多いため、天人にはそれとなく大隈の周辺に目を光らせていてほしかったのだ。

　天人は、東京へ出て、大隈の行動を追った。すると、昨日、大隈がにわかに思い立って大磯へ向かったので、同じ陸蒸気に乗り、さらにはその別荘へ行き着き、与平太を発見したという次第である。

　昨晩、天人は順に同道する恰好で、与平太を大磯警察署に引き渡した。署長をよく知る順は、事の子細を告げるさい、与平太を捕らえたのは署員たちだったことにするよう頼んだ。例によって、天人が表に立ちたがらないからだ。大磯警察署では、大隈大臣に手柄を披露できるのだから、順の申し出はむしろ大歓迎だった。

　署長は今朝、署員らを従え、手錠腰縄姿の与平太を連れて、大隈の別荘へ赴き、事のあらましを告げた。

　すると、大隈は署長にこう言った。

「こやつを解き放ってやってくれ。我が輩は何もされておらんからな」

　そして、与平太に対しても、別れ際に大隈らしい言葉を与える。

「これからよく学んで、お国のために尽くせ。それこそが来島への恩返しと思わぬか。わが東京専門学校でよければ、いつでも受け容れようぞ。まあ、試験は合格してもらわねばならぬがな」

　与平太は、突っ伏して泣いた。子どものように泣きじゃくったそうな。

「大隈大臣はきょうもご逗留（とうりゅう）なのですか」

と茂は順に訊（たず）ねる。

「午前のうちに早々に東京へお帰りになったようだ。お忙しい方ゆえな」

「残念。ぼくにも言ってくれないかなあ、東京専門学校へ入れって」

「また士子さんに心配をかけるつもりかの」

「冗談（じょうだん）です。ぼくはちゃんと学習院をめざしますから」

天人と茂と順が紅茶を喫しているこの東棟（ひがしとう）のダイニングへ、メイドのケイシーが男をひとり連れて入ってきた。順の松本医院の奉公人である。

「どうした、急患（きゅうかん）か」

「箱根より連絡があり、後藤卿の容体（ようだい）が急変したとのことにございます」

「相分（あいわ）かった」

即座に椅子（いす）から立った順は、天人らへの挨拶（あいさつ）もそこそこに、足早に辞してゆく。

「大事に至らなければいいけど……」

呟（つぶや）いた茂の頭の中では、陸奥夫妻の姿も過（よぎ）っている。

「祈りましょう」

天人のその一言は、しかし、晴天なのに轟（とどろ）いた雷鳴（らいめい）に打ち消されてしまう。日（ひ）雷（がみなり）である。

〈第十五話　了〉

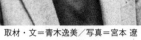

話題の**著者に聞く**
INTERVIEW 190

宮本昌孝

Miyamoto Masataka

大磯の地を愛する少年の成長譚を明治を舞台に描きたかった

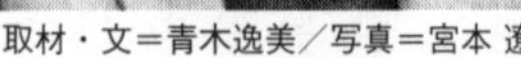
取材・文＝青木逸美／写真＝宮本 遼

本誌好評連載中の「松籟邸の隣人」第一部がいよいよ刊行された。戦国が舞台の時代小説を多く手がけてきた作家・宮本昌孝さんによる、明治の大磯が舞台の活劇浪漫ミステリーだ。

明治二十年頃から、湘南の大磯には政財界の大物たちの別荘が建てられ、「政界の奥座敷」と呼ばれていた。

そんななか、大磯で夏を過ごす茂少年は、魅力的で謎めいた天人シンプソンと出逢う。彼は後の内閣総理大臣・吉田茂が生涯で誰よりも心惹かれた男だった。

宮本さんに、本作の創作秘話や、舞台となった大磯への思いを伺った。

『松籟邸の隣人(一)
――青夏の章』
PHP研究所
定価：2,310円（10%税込）

みやもと　まさたか
1955年、静岡県浜松市生まれ。日本大学芸術学部卒業後、手塚プロダクション勤務を経て執筆活動に入る。

95年、『剣豪将軍義輝』で一躍脚光を浴びる。

2015年、『乱丸』にて、第四回歴史時代作家クラブ賞作品賞を受賞。

2021年、『天離り果つる国』（上・下）にて、「この時代小説がすごい！ 2022年版」（宝島社刊）の単行本部門で第1位を獲得。

著書に、『風魔』『ふたり道三』『家康、死す』『藩校早春賦』などがある。

大磯の夏、少年が成長していく物語

――宮本作品には戦国もののイメージがあります。明治を舞台にしたのは初めてですか。

宮本　以前に「明治烈婦剣」という短編を書いています（『運命の剣のきばしら』PHP文芸文庫所収）。女剣士の恋と仇討ちの物語ですが、思いのほか興に乗った。このとき、記憶の底に「明治」が残ったんです。

十数年後、鵠沼（神奈川県藤沢市）にある「東屋」という旅館跡を訪ねました。尾崎紅葉や武者小路実篤、芥川龍之介、佐藤春夫など多くの文人に愛された歴史ある宿で、案内板の冒頭に「明治後期から昭和初期にかけて――」とあった。「明治」という言葉が目に飛び込んできて、「明治烈婦剣」とリンクしたんです。

　俄然、明治に興味がわいてきた。その後、『天離(あまさか)り果つる国』を書き終え、戦国に一区切りついたと感じたとき、「明治を書きたい」と強く思ったんです。

――吉田茂を主人公にしたのは？

宮本　明治を書くにしても、僕の作風が変わるわけじゃない。そこには未熟な少年がいて、彼の成長を助ける大人がいる。明治を舞台に、『剣豪将軍義輝』の足利(あしかが)義輝と朽木鯉九郎(くつきこいくろう)を書こうと考えました。もちろんキャラクターは違うし、こっちは主従でもないですけどね。

　大磯を選んだのは、伊藤博文(ひろぶみ)や山県(やまがた)有朋(ありとも)など多士済々(たしさいさい)の著名人が別荘を持っていたからです。ところが、幼少期からずっと大磯に関(かか)わりつづけたのは、吉田茂だけ。茂を主人公にすれば、少年の成長譚が書ける――。そう思ったとき、天人シンプソンもすんなり現われてくれました。

――天人にモデルはいますか。

宮本　とくにいません。僕がこれまで書いてきた、未熟な少年を導く理想の男性像です。爽(さわ)やかな美男子で飄々(ひょうひょう)としている。そういう人物が好みなんです。

――天人は正体も含めて行動も謎だらけです。突然、行方不明になって、夏になると茂の前に現れる。秋や冬は何をしているのでしょう。

宮本　天人には、実はアメリカへ行かなければならない理由があるので、ずっと茂の側にいられないんです。一巻目では、まだまだ謎めいていますが、おいおい明かしていくつもりです。天人が夏にしか登場しないのは、〝夏の大磯〟がテーマの一つだからです。毎年、大磯の夏を描いて、その中で茂少年が成長していく。そういう縛りがあった方が面白いと思って。

――それで、多彩な〝青〟の表現が出てくるんですね。

宮本　蒼々とした空、瑠璃色のきらめき。夏の青春物語ですから、イメージカラーは青です。本の装丁も青色を基調にデザインしていただきました。

――吉田茂というと、いかつい強面が思い浮かびます。でも、子供時代の写真を見たら利発そうな美少年で驚きました。大人になった茂も描くのですか。

宮本　写真を見たとき、「ああ、この子だ」と思いました。思い描いていた、主人公にぴったりでした。美少年の茂が爽やかな青年期を経て、外交官になるまでを書きます。強面の吉田茂は登場しません。

――安心しました（笑）。

史実と虚構のパズルが楽しくて

――天人が関わるピンカートン探偵社はアメリカに実在したんですね。

宮本　昔から西部劇が好きだったんで、ピンカートン探偵社のことは知っていました。小説に出てくるエピソードも事実です。銃撃戦は当たり前、爆弾も使っていた。当時は探偵社もギャングと似たようなものでした。アメリカはピンカートン探偵社を手本にして、ＦＢＩを作ったそうです。天人がアメリカにいた頃、ちょうどピンカートン探偵社が活動していたので、うまくはまりました。

――史実に虚構を織り込んでいくのは難しくないですか。

宮本　史実の中に架空の人物や事件を当てはめていく――というのは、これまでずっとやってきたことです。頭の中の年表に架空の物語がうまくはまるかどうか考える。こちらに入らなければ、別の方にもっていく。ぴたりとはまるとすごく楽しい。

――まるでパズルみたいですね。物語はどこから生まれるのですか。

宮本　僕は湘南あたりをよく散歩するんです。海辺を歩きながら、この物語を考えています。この砂浜で天人と茂が遊んでいるのかなとか。海の景色は刻々と変化しますから、見ていて飽きることがない。想像力も尽きないんです。大磯は海水浴場発祥の地でもあります。

当時、海水浴は医療法の一環でした。軍医・松本順（松本良順）が大磯の海を見て、海水浴の最適地と確信したそうです。大磯にはそういう特別な力がある。

海辺だけでなく、住宅地や駅の周辺も散歩します。そのとき、とても小さな神社を見つけたんです。そこに大きなひどく錆（さ）びた鉄板が置いてあった。何だろうと思ったら、昔、大磯と同じ湘南の辻堂（つじどう）海岸で陸軍が鉄板めがけて大砲の試射をしていたという。いまはサーフィンなんかやってる平和な海で、かつて陸軍の連中が大砲をぶっ放していた。その向こうには、きれいな富士山が見える。

そんなことを想像したら、やっぱり明治って面白いなと。物語の始まりに、辻堂のことをちょっと書いたのは、鉄板を見たおかげなんです。

――海が想像力を広げてくれたんですね。

宮本　だからこそ、大磯の地を心から愛する若者を主人公にしたかった。

明治時代のオールスターが登場

――長編ではなく、連作にしたのはなぜですか。

宮本　明治を調べていたら、あまりにも面白かった。長編では登場人物や

『天離（あまさか）り果つる国』（上・下）
PHP文芸文庫
定価：各1,210円

盛り込めるエピソードが限定されてしまう。一話ごとに一つの物語が解決した方が、多くの人物を登場させられるし、読者も読みやすいかなと。

——第六話「元勲(げんくん)たちの夜」には明治時代のオールスターが登場します。それぞれの方言を書き分けるのは大変だったのでは。

宮本　土佐(とさ)弁と長州(ちょうしゅう)弁と薩摩(さつま)弁が飛び交います。書いているうちに自分でも何を言ってるのかわからなくなって困りました。例(たと)えば、大山巌(いわお)が伊藤博文に「あいがともさあげもす」と言いますが、意味は「ありがとう申し上げます」なんです。

——インターネットに頼らずに書いたそうですが、どうやったんですか。

宮本　いろいろな方言の本を参考にして、この場面のこのセリフは、状況的にこの言葉が当てはまる……と推察しながら書きました。すごく手間はかかりましたが、楽しい作業でした。方言はなぜか心地いいですよね。とはいえ、全編を方言で通したら、読者はさっぱりわからない。そう思ったので「元勲たちの夜」に偉人をまとめて登場させました。

——偉人だけでなく、他にも印象的な人物が大勢登場します。史実の女性では陸奥亮子に衝撃を受けました。まさか、天人の昔なじみとは。

宮本　陸奥宗光の妻で、思うに明治時代ナンバーワンの美女。茂はその美しさにのぼせてしまいますが、僕も写真を見て亮子ファンになりました。二巻目以降に、天人との過去も明らかになります。

――茂も天人も強い女性に縁があります。茂の母、士子は厳しくも教養豊かな女性。冒頭、十一歳の茂が漢詩を諳んじますが、士子の教育でしょうか。

宮本　茂の通う耕餘塾の教えでもありますし、儒学の泰斗だった佐藤一斎の孫娘たる士子の影響でもあります。でも、当時の十一歳なら漢文の素養もあったし、まだ江戸の気風も残っていましたから、茂のような生意気な子供もいたと思います。

――茂を困惑させる女性と言えば、女剣士の志果羽も強烈な個性の持ち主です。

宮本　僕の小説ではいつも強い女性が「華」なんです。会津戦争で鉄砲を撃って奮戦した新島八重も好きで、本作にも登場させました。ほんのワンシーンですが、どうしても書きたかった。

――本作を書いていて、新たな発見はありましたか。

宮本　新たな発見だらけです。調べれば調べるほど知らないことばかり。そして、改めて、歴史というのは地続きだと痛感しました。明治を知れば、いまの社会のありようも理解できる。

――次の作品も明治が舞台ですか。

宮本　いまはこの作品で精一杯です。でも、書き終えたときに「もっと、書きたい」と思うかもしれません。もう少し、本作にお付き合いください。

※定価は税10%です。

第29回 中山義秀文学賞

今年度の中山義秀文学賞は受賞作品なし

中山義秀文学賞とは
中山義秀顕彰会が主催、白河市と中山義秀記念文学館の共催で行われる、日本の歴史小説・時代小説を対象とした文学賞である。

主催：中山義秀顕彰会
共催：白河市、白河市教育委員会、中山義秀記念文学館
後援：福島民報社、福島民友新聞社、朝日新聞福島総局、毎日新聞福島支局、読売新聞東京本社福島支局、河北新報社、（公財）立教志塾、（公社）白河青年会議所、NPO法人しらかわ歴史のまちづくりフォーラム

令和五年十一月五日、福島県白河市の新白信ビルイベントホール（白河市立石九六）で、第二十九回中山義秀文学賞の公開選考会が開催された。最終候補として残ったのは、一次・二次選考を経た、

○羽鳥好之『尚、赫々たれ　立花宗茂残照』（早川書房）
○仁志　耕一郎『咲かせて三升の團十郎』（新潮社）
○赤神　諒『はぐれ鴉』（集英社）

の三作品。

会場を埋めた約百人の聴衆が見守るなか、選考委員である作家の澤田瞳子氏、

伊東潤（いとうじゅん）氏、西條奈加（さいじょうなか）氏、文芸評論家の細谷正充（ほそやまさみつ）氏が、選考委員を務めたが、今回は受賞基準点に達した作品がなかった。

第29回 中山義秀文学賞 最終候補作

『尚、赫々（かくかく）たれ　立花宗茂残照』
羽鳥好之著／早川書房
定価：2,200円（10%税込）

『咲かせて三升（みます）の團十郎』
仁志 耕一郎著／新潮社
定価：2,640円（10%税込）

『はぐれ鴉（がらす）』
赤神 諒著／集英社
定価：2,200円（10%税込）

真っ直ぐな涙を久々に流した作品

岩谷翔吾（THE RAMPAGE）

書評の連載をさせていただくようになってから、ハイタッチ会などでファンの方と本の話をよくします。その中でも「読んだ？」と訊かれることが圧倒的に多かったのが、今回紹介する凪良ゆう先生の『汝、星のごとく』。僕も大好きな作品です。『汝、星のごとく』は瀬戸内の島で出会った櫂と暁海、二人の男女の十七歳から三十四歳までの軌跡を描いた恋愛小説です。ただ、軸は二人の恋愛に置いてあるものの、恋愛以外の要素も素晴らしくて。それぞれが夢を追っていく様、家族との衝突、島特有の閉塞感……どの描写にも読み応えがあると思っています。

僕は、特に都会に出て漫画家として有名になる櫂に共感し通しでした。櫂はとんとん拍子で成功していくんですが、上手くいっている時こそ感じる疎外感や、環境の変化への戸惑いがとても丁寧に描かれているんです。エンターテインメントの世界で挑戦している僕としては、櫂と自分を重ねて、己の物語のようにも感じました。彼に共感しすぎて、その後の転落ぶりは読むのが辛くなったくらい（笑）。

　主人公の二人が様々な困難に直面して価値観を揺さぶられていく分、この作品は周りの大人たちが要所要所でいい言葉を残しているようにも思います。それも不倫をしているような、世間的に言えば「間違っている」大人たちがかっこいい。多分、彼らは悩んで傷ついた末に、自分なりの価値観を獲得した人として描かれているんです。凪良先生は、他の作品でも「本当の正しさとは何なのか」を考え抜いている印象があって、今回も周りの大人たちの姿を通して、読者にそれを投げかけているんじゃないか、と思って読んでいました。

　もちろん、恋愛小説としても最高です。終盤、暁美が櫂に「好きなとこ飛んで行っていいよ。ちゃんと追いかけるし、ちゃんと追いつくから」と言うシーンとか……！　これ、高校生が言った台詞ならベタに感じるかもしれないですが、櫂と暁美の十七年を読者も一緒に辿ってきたからこそ、重さ、深さを感じるんですよね。こんな熱い展開が全然不自然ではない。「俺でもそうするわ！」と唸ってしまうような物語の力を感じて、真っ直ぐな涙を久々に流しました。

　まだまだ語りたいので……いつか凪良先生ともお話ししたいです。

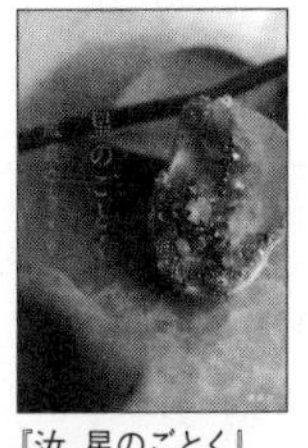
『汝、星のごとく』
講談社／定価:1,760円
＊定価は税10%です。

いわや しょうご　1997年生まれ、大阪府出身。THE RAMPAGEのパフォーマー。「君と、読みたい本がある」を集英社Webマガジンにて連載中。

話題の**著者に聞く**

INTERVIEW 191

小川 哲

Ogawa Satoshi

小説家がダイレクトに小説について考えた小説です

取材・文＝末國善己／写真＝青地あい

二〇一五年、『ユートロニカのこちら側』で第三回ハヤカワSFコンテストの大賞を受賞してデビューを果たし、その後、『ゲームの王国』『地図と拳』と超大作を描き続け、直木賞をはじめとする数々の賞を受賞。現代を舞台にした『君のクイズ』では、「問題が読まれる前になぜ解答できたのか」という謎で読者を惹きつけ、第七十六回日本推理作家協会賞〈長編および連作短編集部門〉を受賞するなど、目覚ましい活躍を見せている小川哲さん。『君が手にするはずだった黄金について』は、「僕」を主人公とする私小説風の語り口が、今までの作風と大きく違っているのが魅力的だ。今作の執筆のきっかけをお伺いした。

『君が手にするはずだった黄金について』
新潮社
定価：1,760円（10％税込）

おがわ　さとし
1986年、千葉県生まれ。2015年、「ユートロニカのこちら側」で第３回ハヤカワSFコンテスト〈大賞〉を受賞しデビュー。2017年刊行の『ゲームの王国』で第31回山本周五郎賞、第38回日本SF大賞を受賞。2019年刊行の短編集『嘘と正典』は第162回直木賞候補となった。2022年刊行の『地図と拳』で第13回山田風太郎賞、第168回直木賞を受賞。同年刊行の『君のクイズ』は第76回日本推理作家協会賞〈長編および連作短編集部門〉を受賞。

チェックポイントを見つけながら書いた作品

――新作は、小川さんご自身を思わせる「僕」を主人公にした連作短編集になっています。なぜ私小説風の作品を書かれたのですか。

小川　この小説は、二〇一九年から二〇二二年にかけて書いたものでした。同じ時期に、それまであまり詳しくなかった地図や建築について調べながら、『地図と拳』という作品を書いていたこともあり、その逆に調べものをせずに普段から自分が見ているもの、感じていることをダイレクトに書きたいと思ったのが最初の考えでした。

――『ゲームの王国』や『地図と拳』のように歴史を題材にした作品と、今作のように日常を描く作品では、書く時に違いはありますか。

小川　歴史を題材にすると、「現実の歴史」というチェックポイントを通らなければなりません。それは小説を書く時の制限であり、道標にもなっています。一方で現代を舞台にした小説は道標がないので、現実の事件などから自分でチェックポイントを見つけて書く必要があります。書き始めると違いはないのですが、準備段階の心構えには差があります。

――収録された六作は、すべて「小説を書く意味」が問われていますが、なぜこの題材を選んだのでしょうか。

小川　いつも、一番考えていることだからです。僕は小説のことしか分からないので、建築について考える時も、小説をつくる流れに置き換えて理解しています。例えば、建築家はそこで暮らす人のために建築物を造りますが、小説家も読者のために小説を書いているので、重なるところがあるという風に考えていきます。常に小説を通して社会を見ているので、今回はよりダイレクトに小説家が小説について考える小説を書きました。

――作中で、小説家に必要なのは才能ではなく才能のなさという言葉や、「明日は朝が早い」は飲み会から脱出する口実であるなどの「僕」の考え方が出てきますが、これは小川さんの考えと重なるのですか。それとも虚構ですか。

小川　作中の「僕」の考え方は、作者である僕のものに近いです。今回の小説の中で飲み会から脱出する言い訳を使ってしまったのですが、実は他にもいくつか、今も多用している言い訳のフレーズがあり、それはまだ隠しています(笑)。

——巻頭の「プロローグ」には、新潮社の採用時のエントリーシートに「人生を円グラフで表現」する質問があり、「僕」が人生とは何かを分析的に思考するあまり何も書けなくなるエピソードが出てきます。普段から「僕」のように物事を分析的に考えているのですか。

小川　そうです。新潮社のエントリーシートに人生の円グラフを書くという質問があり、それが書けなかったから入社を断念したというのは、僕の実体験です。エントリーシートを渡された時に、なぜ書けないと思ったのかを小説に書こうと思い、それが「プロローグ」となりました。

——何でも突き詰める「僕」の思考のプロセスはユーモラスに感じられましたが、意識的に笑えるようにしたのですか。

小川　僕が自分の考えを人に説明すると笑われることが多いので、多分、そのまま書くだけで面白いのではないかと思いました。だから笑ってもらえればいいと考えています。

小説的な奥行きを考えて

――「三月十日」では、東日本大震災から三年後の三月十一日に高校の同級生たちと酒を飲んだ「僕」が、震災前日の三月十日に何をしていたか思い出せず調べていきます。多くの読者も同じように三月十日のことは思い出せないような気がしていますが、これは小川さんの経験を普遍的な題材にされたのでしょうか、それとも普遍的な題材を探されたのでしょうか。

小川　普遍性があるかないかよりも、フィクションにする奥行きがあるかどうかが重要です。以前、三月十日に何をしていたのかをエッセイに書いたのですが、その時からこの題材は小説になると思っていました。それは、それぞれの人生には色々な忘れられない三月十一日があって、その背後には何十倍もの忘れられた三月十日があると考えたからです。明日が三月十一日になる可能性があり、いま自分が三月十日を生きているということに、小説的な奥行きを感じました。

――「小説家の鏡」は、高校時代の友人から、占い師のお告げで妻が仕事を辞めて小説家になると言い出したと相談された「僕」が、占い師のインチキを暴こうとします。他の収録作にも、占い師と同じように胡散臭い人物が出てきますが、その人たちには寛容な「僕」が、占い師だけは敵視したのはなぜなのでしょうか。

小川　占い師と偽科学が個人的に許せないからですが、本当に興味がないのであれば好きも嫌いもないわけです。これだけ嫌いなのは、自分に似たところがあるからなのかもしれないと思いました。自分の知らない他者について、小説を通して考えるのが重要だと思っているので、あらためて占い師について考えてみたところ、小説家も占い師もデタラメを言ってお金を稼いでいるのは一緒だということに気付きました(笑)。

――表題作「君が手にするはずだった黄金について」は、怪しい情報商材を販売していたのに、いつの間にか八十億を運用し派手な生活をネットで発信する投資家になった片桐と、それを噂で知る「僕」の関係が描かれます。片桐も嫌なタイプですが、占い師とは異なり、「僕」は最後まで見捨てませんよね。

小川　僕は片桐のようなタイプが苦手ですが、皆片桐のような要素を持っていたり、身の回りに片桐のようなタイプがいたりすると思うんです。なので、片桐を通じて自分を見るというか、より深く自分を知る切っ掛けになればと思って書きました。片桐は、インスタグラム上で、実際の生活をそれ以上のものに見せかけていました。小説家も、歴史を面白く読者の方に感じていただけるように精一杯書きますが、実際に史料を読むとさほどその歴史的事件が面白くないというケースもあるので、インスタ映えのようなことをしているとも言えます（笑）。そうした点も味わって欲しいです。

作家それぞれの「国内法」を聞くと面白い

――「偽物」に登場する漫画家のバリュージは、他人の言葉を自分の言葉としてSNSなどで発信し、炎上状態になります。この作品は、小説だけでなく、絵も音楽も完全なオリジナルを作るのが難しくなった今の時代に、過去作の影響、引用、盗作の境界がどこにあるのかを問い掛けているように思えました。小川さんは、この境界についてどのようにお考えですか。

小川　ここまではオリジナルで、ここから先は盗作という境界線はないと考えています。引用と書かずに丸写しするのは明確に禁止されていますが、元になっている事件や物事、テーマを抽象化して書くとどうなのか。法律的には許されたとしても、倫理としてのラインは作家によって判断が分かれます。同業者で話をすると面白いのは、例えばどこからがご都合主義で、どこまでが物語の展開として許容できるかの判断がそれぞれバラバラなことです。法律に明記された盗作の基準を憲法や国際法とするなら、作家ごとに国内法があり、ご都合主義法に厳しい国もあれば、緩い国もあります。僕の国は、世界でも有数なほどご都合主義には厳しいらしいですが、オチは緩くても構わないことになっています(笑)。

——本書には、片桐やババのように成功、虚栄心、承認欲求を満たそうとする人が数多く出てきますが、承認欲求についてどう思われますか。

小川　作中の「僕」も作者の僕も同じですが、好きな仕事をして満足しているので、誰かに認めてもらいたいとは思っていません。それは幸運なことですが、誰もができるとは限りません。

とはいえ、自分の文章を他人に読んでもらっている以上、承認欲求と小説を書く行為は切っても切り離せないものがあります。SNSなどで発信しないだけで、僕にも知って欲しい、認めて欲しいという承認欲求はあるのかもしれません。

——小説を書く意味を題材にした作品を書き終えて、何か変わったところはありますか。

小川　そうですね。自分がなぜ本が好きなのか、なぜ小説を書いているのかを、いつもうっすらと考えていましたが、文章化したことはありませんでした。小説ならではの瞬間として、読んでいて文字としての意味以上の感情を抱く時があります。その瞬間が好きで、それを他の人にも与えたくて小説を書いているのだと、より理解した気がします。今後、自分が小説を読んだり、書いたりする時は、この作品の経験を活かすことができれば面白いと考えています。

話題の**著者に聞く**
INTERVIEW ⑲②

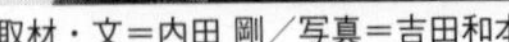

今村昌弘

Imamura Masahiro

子どもが論理を駆使して「何か」に立ち向かう物語

取材・文＝内田 剛／写真＝吉田和本

特殊な舞台設定を巧みに機能させたミステリ『屍人荘の殺人』で、第二十七回鮎川哲也賞を受賞し、デビューした今村昌弘さん。『屍人荘の殺人』は、「このミステリーがすごい！」「週刊文春ミステリーランキング一〇」「本格ミステリ・ベスト一〇」にてそれぞれ一位となり、デビュー作としては史上初の三冠を達成し、人々に衝撃を与えた。

そんな今村さんが描く今作『でぃすぺる』は、小学六年生の男女三人組が、自分の住む町で起きた殺人事件の謎を、オカルトが引き起こしたことなのか、それとも人間が犯人なのか、被害者が残した「七不思議」の話から読み解いていこうとする物語だ。

執筆のきっかけについて伺った。

『でぃすぺる』
文藝春秋
定価：1,980円（10％税込）

いまむら　まさひろ
1985年長崎県生まれ。2017年『屍人荘の殺人』で第27回鮎川哲也賞を受賞しデビュー。同作は『このミステリーがすごい！ 2018年版』、〈週刊文春〉2017年ミステリーベスト10、『2018本格ミステリ・ベスト10』で１位を獲得し、第18回本格ミステリ大賞〔小説部門〕を受賞、第15回本屋大賞３位に選ばれるなど、高く評価される。他の著作に『魔眼の匣の殺人』『兇人邸の殺人』などがある。

タイトルに込められた意味

――『でぃすぺる』というタイトルに不思議な魅力を感じます。

今村　僕はこれまで、原稿を書き終えたあとに作品のタイトルを決めていました。しかし今作は、第一章だけ雑誌に掲載させていただきましたので、何かしらのタイトルが必要でした。「ジュブナイル」ものでもありますが、〇〇少年探偵団と書いてしまうといかにもで、〇〇町の怪談としてしまうとミステリではなくオカルト方面だけだと想像されてしまう。やはり正体を摑(つか)ませないようなタイトルイメージにしたかったのです。ということで、僕の中のイメージにあったのが、澤村伊智さんの『ぼぎわん』でした。何なのかわからないからこそ、怖いですよね。

――得体の知れない感じがしますね。

今村　そうです。そこでダブルミーニングのものにするかなど、編集者たちといろいろ話し合った結果、『ディスペル』という単語が出てきました。RPGなどのゲーム内で呪文として使われていますが、意味を調べたところ、問題を解決するという意味もあって、確かにこれは作品が持つ意味としては非常に正しいと思ってつけました。ひらがなにしてみたら日本語ではなかなか使わない響きになりましたね。イラストレーターさんには、子どもたち三人は出してほしいけれども不穏さを前面に押し出してほしいとリクエストしました。

――絶妙ですね。これしかないという印象です。

今村　素敵なものになりました。書店で並べていただいても埋もれずに目立つ装丁ですね。

――「オカルト」「本格ミステリ」「ジュブナイル」この三つの要素は最初から決めていたのですか。

今村　そうですね。まずは子どもたちをどう活躍させたいかというところから入っていきました。さらにこれまでやってきた本格ミステリの文脈もほしいということで。子どもたちが論理を駆使して何に立ち向かうかと考えたのですが、子どもたちは社会的なものも見えていない年頃だし、自分たちが住んでいる町という現実もまだうまくつかめていないし、友だちの家庭環境なども見えていない。そうした「現実」があやふやであると同時に、オカルト的なものは割とすぐに信じてしまう。現実とオカルト的なものが自然と生活に溶けこんでいる時期だと思ったので、そこに白黒つけるような作品になればいいと思い、方向性を決めました。

自分と重ねて読んでほしくて

——舞台や登場人物の性格など、どのように作り上げたのでしょうか？

今村　まずイメージから固めますね。僕自身、子どもの頃に住んでいたのが神戸(こうべ)市の郊外で、町の方ではなくて山に入った新興住宅地だったのです。なので、最初から都会の子どもたちを書くのはイメージにありませんでした。日本人のほとんどは割とちょっと田舎(いなか)の方に住んでいるんじゃないかな、という気もしたので。誰もが読んだときにふっと頭に自分の地元を重ねてしまう。そういう話にしたかったのです。

——登場人物にモデルなどはいるのですか。

今村　これまで書いてきた本格ミステリのように必要性に応じて考えました。僕なりのミステリの文脈を出しながら、どうやったら面白くできるのか、と考えた時にやはり今回は現実視点とオカルト視点の二人の探偵役がいたらいい、ということでサツキとユースケという対照的な立ち位置の二人を決めました。さらにそれをどうやって議論させるかと考えると、一人審判役が必要だと思い、男である僕からしたら、女性の方が何を考えているのかわからないので、第三者には転校生の女子・ミナという存在を設定したのです。このあたりはシステマティックに考えました。

――読んでいて少年の頃に帰ったような気分になりました。

今村　子どもの頃は七不思議、学校の怪談などが非常に流行りましたね。ここも書きたかったところです。これまでの作品では、あまり一人のキャラクターに絞って心情描写をする経験がなかったので、どうしたらいいだろうと戸惑いながら書いた部分もあります。

――七不思議、そのひとつひとつにもドラマがありますね。

今村　テーマとして面白いですね。子どもたちが街の気になっていた場所を探検していく、というのは最初からイメージとしてありましたが、各章でひとつの怪談を取り扱うとなると、展開としては同じことの繰り返しになってしまうのでその点でも苦労しました。

――大人もオカルトや超常現象は好きですよね。

今村　最近また怪談ブームがきてい

るイメージはあります。怪談は好きなのに、僕は全然霊感がないので人から聞くしかなく、月一回ほどやっている怪談を話すサークルにたまに参加しては、僕自身が「怖い話はないか？」と聞いてまわる新手（あらて）の妖怪のようになっています（笑）。意外と一般の人から聞いた話が面白いですね。プロではない人の口から、あれは何だったんだろうと、明確なオチのない怪談が出てくると、怖い。不可解なままの方が怖いのです。

特殊設定なしのオカルトへの挑戦

――今村さんはデビュー作でミステリーランキング三冠を獲られましたが、プレッシャーはありましたか。

今村　一位を獲ればその続編は、売り上げの数字的には下がるしかないですから。そこであらためて思ったのは、話題になっているからと『屍人荘の殺人』を買ってくれた方にも満足いただけるような続編を書いていこうと。デビュー作でご評価いただいたからこそ、振り切ってできる挑戦を忘れずにいようと思っていました。「屍人荘」をはじめとする「剣崎（けんざき）」シリーズは、それぞれの物語での特殊な設定の中でどう本格ミステリを成立させるのか、ずっと新しい挑戦をしていくという狙いで書いています。

――シリーズの中でも進化があったのですね。

「剣崎」シリーズは、特殊設定ミステリになると思いますが、このジャンルについてどう思われますか。

今村　ここ数年は特殊設定ミステリブームがありました。特殊な世界観や設定を扱えるのは、現実を舞台にしているが故の制約の中でちょっと行き詰まっていたミステリ書きたちにとって非常に朗報で、皆が腕まくりした結果、様々な作品が書かれたと思うのです。でも作品が出そろって見返してみると結局、特殊なルールを読者の方に呑みこませている分、負担がひとつ増えているだけなのでは、とも感じました。

そこでオカルトを特殊性なしに包みこむ挑戦をやろうと思った時に、今回の『でぃすぺる』を思いついたのです。子どもたちが論理の力でどうやってオカルトを包みこんでいくのかを、必死になって考えました。最後のセリフをどのようにして言わせるか、最後の最後にどうしたらこのミステリを成立させられるか。それには何か「ズルい」方法があるはずだと。今まで自分がやってきた本格ミステリへの挑戦でもあるし、これからの可能性を探っている作品でもあります。本当に、これまでの「剣崎」シリーズに劣らないくらいの挑戦をしている作品です。初めて読む人にとってはすごく歪なカタチの物語に映るかもしれません。また、ジュブナイルものとして読んでも楽しんでいただける作りなので、ミステリとしての挑戦とは別に、シンプルに読み物としておもしろがっていただけたら、それも嬉しいです。

——ラストの余韻も最高でした。

今村　この先三人がどうなっていくのかなと思わせるところが僕も好きですね。その後まで書いてしまうと、逆に可能性を狭めてしまいます。

——今後の予定はいかがでしょうか。

今村　いま「紙魚の手帖」（東京創元社）で「剣崎」シリーズ・明智恭介の短編を書いていますが、これを三、四本まとめて来年中には本にできればなと思っています。

——読者へのメッセージをお聞かせください。

今村　今回の『でぃすぺる』はこれまでのシリーズとは違って、様々なタイプの本が好きな人に対して、いろんな読み方ができるように作られています。ぜひこのインパクトのある表紙を目にしたときは手に取っていただきたいです。よろしくお願いいたします。

『屍人荘の殺人』
創元推理文庫
定価:814円

※定価は税10%です。

文蔵

◆筆者紹介◆

1・2月号

あさのあつこ

54年岡山県生まれ。「バッテリー」シリーズで数々の賞を受賞。著書に、「おいち不思議がたり」「The MANZAI」「NO.6」「弥勒の月」シリーズ、などがある。

瀧羽麻子 たきわ あさこ

81年兵庫県生まれ。2007年『うさぎパン』でダ・ヴィンチ文学賞大賞を受賞し、デビュー。著書に『ありえないほどうるさいオルゴール店』『博士の長靴』など。

寺地はるな てらち　はるな

77年佐賀県生まれ。14年『ビオレタ』で第4回ポプラ社小説新人賞を受賞。著書に『川のほとりに立つ者は』『水を縫う』『ガラスの海を渡る舟』など。

西澤保彦 にしざわ　やすひこ

60年高知県生まれ。95年に『解体諸因』でデビュー。著書に『七回死んだ男』『パラレル・フィクショナル』、「匠千暁」「腕貫探偵」シリーズなど。

宮部みゆき みやべ　みゆき

60年東京生まれ。『理由』で直木賞を受賞。『〈完本〉初ものがたり』『あかんべえ』『ぼんくら』『桜ほうさら』『この世の春』『きたきた捕物帖』など著書多数。

宮本昌孝 みやもと　まさたか

55年静岡県生まれ。『天離り果つる国』で、『この時代小説がすごい！　22年版』の単行本部門第一位を獲得。著書に、『剣豪将軍義輝』『ふたり道三』『風魔』など。

村山早紀 むらやま　さき

63年長崎県生まれ。『ちいさいえりちゃん』で毎日童話新人賞最優秀賞、椋鳩十児童文学賞を受賞。代表作に「コンビニたそがれ堂」「桜風堂ものがたり」シリーズなど。

文蔵◆バックナンバー紹介

Vol.194 2022年10月――
〈特集〉いま読み始めたい文庫シリーズ小説

Vol.195 2022年11月――
〈特集〉図書館、博物館小説で文化を味わう
●新連載小説 福澤徹三「恐室 冥國大學オカルト研究会活動日誌」(〜2023・7・8)

Vol.196 2022年12月――
〈特集〉山口恵以子デビュー十五年の軌跡
●新連載小説 小路幸也「すべての神様の十月㊂」(〜2023・11)

Vol.197 2023年1・2月――
〈ブックガイド〉新世代のミステリー作家に大注目

Vol.198 2023年3月――
〈特集〉「建物」が生み出す物語
●新連載小説 西澤保彦「彼女は逃げ切れなかった」
●新連載エッセイ わたしのちょっと苦手なもの

Vol.199 2023年4月――
〈特集〉二刀流作家の小説が面白い

Vol.200 2023年5月――
〈特集〉あさのあつこ その作品世界の魅力

Vol.201 2023年6月――
〈特集〉時代を映す「青春小説」
●新連載小説 瀧羽麻子「さよなら校長先生」

Vol.202 2023年7・8月――
〈特集〉ジョブチェンジ小説で未来を拓け
●新連載小説 村山早紀「桜風堂夢ものがたり2」

Vol.203 2023年9月――
〈特集〉竹宮ゆゆこ作品の魅力に迫る
●新連載小説 あさのあつこ「おいち不思議がたり」
寺地はるな「世界はきみが思うより」

Vol.204 2023年10月――
〈特集〉「スパイ・国際謀略」小説
●新連載インタビュー 推し本、語ります

Vol.205 2023年11月――
〈特集〉小説で考える「ルッキズム」

Vol.206 2023年12月――
〈特集〉作家・今村翔吾の軌跡

※創刊号(2005年10月)〜Vol.172(2022年9月)は品切です。

目次は文蔵HP[https://www.php.co.jp/bunzo/]でご覧いただけます。

京都府警
あやかし課
の事件簿
8
東の都と西想う君
天花寺さやか
PHP文芸文庫

ＰＨＰ文芸文庫　文蔵 2024. 1・2

2023年12月28日　発行

編　者　「文蔵」編集部
発行者　永田貴之
発行所　株式会社ＰＨＰ研究所
東京本部　〒135-8137　江東区豊洲5-6-52
文化事業部　☎03-3520-9620(編集)
普及部　☎03-3520-9630(販売)
京都本部　〒601-8411　京都市南区西九条北ノ内町11
PHP INTERFACE　https://www.php.co.jp/
制作協力
組　版　朝日メディアインターナショナル株式会社
印刷所
製本所　図書印刷株式会社

ISBN978-4-569-90365-1